Pour Louise,
à l'occasion
de son anniversaire.
Christian
xxx

YOURI

DU MÊME AUTEUR

HENRI TROYAT
de l'Académie française

YOURI

Roman

FLAMMARION

Il a été tiré de cet ouvrage

VINGT EXEMPLAIRES SUR PUR FIL
DES PAPETERIES D'ARCHES
DONT QUINZE EXEMPLAIRES NUMÉROTÉS DE 1 À 15
ET CINQ EXEMPLAIRES, HORS COMMERCE, NUMÉROTÉS
DE I À V

VINGT EXEMPLAIRES SUR VELIN ALFA
DONT DIX EXEMPLAIRES NUMÉROTÉS DE 16 À 25
ET DIX EXEMPLAIRES, HORS COMMERCE, NUMÉROTÉS
DE VI À XV

Le tout constituant l'édition originale

© Flammarion, 1992.
ISBN 2-08-066705-X
Imprimé en France

I

Les lèvres collées contre la vitre, Youri s'amuse à embuer le carreau en soufflant dessus une haleine chaude. Quand le rond de vapeur est assez opaque, il l'efface du bout des doigts et retrouve avec ennui, de l'autre côté du verre, la blancheur et l'immobilité du jardin sous la neige. Derrière son dos, Sonia dorlote sa poupée en marmonnant des phrases de tendresse bêtifiante ou de maternelle gronderie. Cantonnée dans son univers de fille, elle ne songe même pas à rejoindre Youri, qui fait le guet. Pourtant, depuis quelques minutes, il la devine intéressée, et même impatiente. Elle s'agite dans la chambre autour du coffre à jouets. Soudain, elle demande :

— Tu ne vois toujours rien ?

— Non.

— Il met bien longtemps !

— Sans doute qu'il a du mal à choisir !

— Et s'il ne revenait pas ?...

— Pourquoi qu'il ne reviendrait pas ? interroge Youri en se retournant.

Elle s'avance vers lui, le toise avec une cruauté moqueuse et répond :

— Parce que les loups l'auraient mangé !

— Il n'y a pas de loups dans le coin !

— Paraît que si ! Karp m'a raconté qu'il en avait vu pas plus tard que la semaine dernière !

— Il a dit ça pour t'effrayer !

— Rien ne peut m'effrayer ! s'écrie Sonia avec un regard de bravade.

Youri se contente de ricaner. Cette fille de onze ans, attachée à ses pas, l'agace. Certes, il est d'à peine trois mois plus âgé que Sonia, mais il s'estime très supérieur à elle par l'intelligence, l'expérience et surtout la naissance. Elle a beau prendre de grands airs, elle n'est que la fille d'une domestique. On ne sait même pas qui est son père. A l'office, on lui a donné le sobriquet de « fausse demoiselle ». Sa mère, Douniacha, qui l'adore, trouve que le prénom de Sonia, diminutif courant de Sophie, n'est pas assez tendre et l'appelle, avec un moelleux mouvement des lèvres : Soniouchka. Sonia voudrait que Youri, lui aussi, l'appelle Soniouchka. Il juge cela ridicule et évite, la plupart du temps, de le faire. Maman, qui a pour Douniacha, sa femme de chambre, une véritable affection, a souhaité que Youri et Sonia soient élevés ensemble, comme frère et sœur. De toute évidence, Youri aurait préféré un frère à cette fille qui se tortille, parle à tort et à travers, fait des caprices et s'admire, à la dérobée, dans les glaces. Avec un frère, il se serait peut-être disputé, battu, mais du moins ils auraient eu les mêmes intérêts dans la vie. Avec Sonia, il se sent en porte à faux. Elle est fuyante, imprévisible, irritante. On a constamment l'impression que quelque chose mûrit dans sa tête. Mais quoi? Cheveu noir, regard noir, elle ressemble à un pruneau trempé. Et bavarde, avec ça!... Quand elle se lance dans un récit, il a envie de se boucher les oreilles.

En se préoccupant de l'éducation de Sonia, maman affirme qu'elle obéit à un « devoir social ». Elle dit qu'à notre époque il faut se montrer « humain avec les inférieurs ». Papa la taquine en lui reprochant de « pencher dangereusement à gauche ». Bien qu'il ait expliqué à son fils que « pencher à gauche » signifiait aimer les petites gens paresseux et mécontents plus que les gens travailleurs, correctement vêtus et utiles à la patrie, Youri ne peut s'empêcher d'observer sa mère pour surprendre chez elle une inclinaison des épaules ou de la tête du mauvais côté. Papa dit aussi que l'institutrice des enfants, Zoé Ivanovna, qui habite à la maison, est un peu trop gagnée aux idées nouvelles. Et de fait, Zoé Ivanovna ne cache pas son mépris pour la famille impériale. Un jour, pendant le déjeuner, elle a osé déclarer que le tsar était seul responsable de nos défaites sur le front et de nos difficultés de ravitaillement à l'arrière. Papa l'a priée sèchement de se taire et elle a quitté la table en pleurant. Personne n'a songé à la consoler. Youri la déteste : elle est sévère, raide, infatuée, avec un sourire dédaigneux qui semble destiné à tous ceux qui ne pensent pas comme elle. Un duvet brunâtre marque sa lèvre supérieure. Ses dents sont jaunes et espacées. Il lui arrive de fumer en cachette. Elle sent le tabac. Papa prétend qu'elle va, de temps à autre, au village pour apprendre aux moujiks ce que c'est que le socialisme. Chargée d'enseigner aux deux enfants le russe, le calcul, l'histoire, la géographie, elle a émis la prétention de leur donner cet après-midi leurs leçons habituelles. Youri a protesté qu'ils étaient en vacances, que ce serait Noël dans trois jours. A quoi l'institutrice a répondu qu'en temps de guerre il n'y avait ni vacances ni Noël, vu qu'en ce moment même de malheureux soldats tombaient par milliers sous le feu de l'ennemi. Appelée à trancher le différend, maman a donné raison à son fils et Zoé Ivanovna est sortie de la chambre en ravalant sa hargne. Visiblement, elle n'aime pas Youri. En revanche, Sonia a droit de sa part à une scandaleuse indulgence. Elle lui octroie les meilleures notes, même quand la fillette ne sait rien. Sans doute est-elle tout attendrie parce que Sonia est l'enfant d'une domestique. Leur condition subalterne les rapproche. Il paraît que le socialisme débute toujours comme ça.

C'est Zoé Ivanovna qui a insisté auprès de maman pour que Sonia prenne ses repas à la table familiale, tandis que Douniacha les prend à l'office. Cependant, pour la nuit, Sonia rejoint sa mère dans leur chambre, au dernier étage de la maison. Les autres serviteurs dorment dans une annexe, près de l'écurie. Ils n'en sont pas moins très heureux. Malgré la guerre, on ne manque de rien chez les Samoïlov. La faim, la peur, la mort sont pour les étrangers. D'ailleurs, le pope du village bénit les lieux à l'occasion de chaque changement d'année. Il reviendra le 1er janvier 1917. En attendant, on vit sur les aspersions, l'encens et les prières de 1916. Maman assure que Dieu veille avec un soin particulier sur la famille Samoïlov et le domaine de Koussinovo. Youri le croit volontiers. Situé non loin de Kline, dans le gouvernement de Tver, à moins de cent verstes de Moscou, Koussinovo est, pour lui, le centre du monde. C'est là, et non à Petrograd, pense-t-il, que se prennent les grandes décisions. Il n'y a personne au-dessus de ses parents. Voisins, domestiques, ouvriers, tout le monde, excepté Zoé Ivanovna, les aime et les respecte parce qu'ils sont de bons maîtres. Parti dans un rêve de félicité, Youri va se détacher de la fenêtre lorsque Sonia le retient par la manche.

— Regarde, là-bas !... Je crois que c'est lui !

Ils se rapprochent de la vitre, joue contre joue. Dehors, la neige tombe à flocons serrés. Les yeux écarquillés, Youri discerne vaguement une ombre horizontale qui glisse avec lenteur dans l'allée de tilleuls aux branches dénudées : un traîneau tiré par une haridelle (les meilleurs chevaux ont été réquisitionnés) et chargé d'une forme sombre et oblongue, ficelée sur le châssis. Incontestablement, c'est Karp qui revient avec le sapin qu'il est allé couper dans la forêt, pour Noël. Sonia hoche la tête et commente :

— Il est plus petit que celui de l'année dernière !

— Pas du tout ! dit Youri. Il est plus grand !

Il ne le pense pas vraiment, mais — c'est plus fort que lui — il a besoin de contredire Sonia

14

quand elle paraît trop sûre d'elle. Comme si, en acquiesçant, il risquait de perdre un peu de son prestige et même de sa personnalité.

Le traîneau avance en cahotant dans les ornières de neige. On distingue mieux le sapin qu'il transporte. Une brusque pitié submerge Youri à la vue du géant abattu, mutilé, garrotté, arraché à ses frères. Comment croire que ce vaincu aux branches repliées se déploiera dans quelques jours au milieu du salon, sous son étincelante parure de guirlandes et de bougies ? Sa résurrection dans la joie et les lumières témoignera une fois de plus que, chez les Samoïlov, tous les miracles sont possibles.

— Et moi, je te dis qu'il est plus petit ! insiste Sonia.

Youri ne daigne pas répondre. Quand le traîneau a disparu du côté de l'écurie, il s'éloigne de la fenêtre, se rassied en tailleur sur le tapis et reprend son jeu de construction métallique. Il assemble les pièces, enfonce les vis, serre les écrous au moyen de petites clefs plates. Sonia l'observe avec ironie.

— Qu'est-ce que tu veux faire quand tu seras grand ? demande-t-elle.

— Ingénieur, grogne Youri.

— Tu ne vas pas t'occuper de l'usine de ton père ?

— Si. Je serai ingénieur et je dirigerai l'usine.

— Ça t'intéresse donc tant que ça, la tannerie ?

— Oui.

— Moi, je trouve que ça sent trop mauvais !

En prononçant cette sentence, elle se pince le bout du nez entre deux doigts. C'est vrai que la tannerie sent mauvais. D'ailleurs, papa a toujours interdit aux enfants l'accès des ateliers. Lui-même ne s'y rend que rarement. C'est le régisseur, Pistounov, qui s'occupe de tout. Un gaillard trapu, barbu, qui porte, été comme hiver, une veste en cuir. Beaucoup d'ouvriers ayant été mobilisés à la déclaration de la guerre, il a embauché des femmes dans les villages d'alentour. Papa dit qu'elles travaillent aussi bien que les hommes. Peut-être même mieux. Et au moins elles ne boivent pas. C'est parce que la tannerie fournit l'armée que papa n'a pas été mobilisé. Alors comment Sonia ose-t-elle se plaindre de l'odeur ?

A la maison aussi, c'est le règne des femmes La plupart des domestiques mâles sont partis pour le front. Il reste le vieil Igor, qui tremble si fort en servant à table qu'on craint, à chaque instant, de le voir renverser un plat. Et aussi Iermolaï, le lampiste. On n'a plus guère besoin de lui depuis que papa a fait installer l'électricité dans toutes les pièces. Mais on le garde par charité. Il continue à préparer les lampes à pétrole dans sa soupente, nettoyant les verres, taillant les mèches. Sa chance, c'est qu'il y a souvent des coupures de courant depuis le début de la guerre. Alors Iermolaï retrouve son importance. Maman prétend qu'il prie Dieu, chaque dimanche à l'église, pour que s'éteignent, de temps en temps, ces ampoules diaboliques pendues au bout de leur fil. Youri aime bien les soirs de panne. A la lueur des lampes à pétrole, les objets se resserrent. Tout devient plus chaud, plus familier, plus intime.

— Pourvu qu'il y ait une panne d'électricité ce soir, pendant le dîner ! dit-il rêveusement.

— Il n'y en aura pas, tranche Sonia.

— Pourquoi ?

— Parce qu'on est tout près de Noël.

— Et alors ?

— Noël, c'est la naissance de Jésus. C'est l'étoile du berger. C'est la lumière...

— Mais ce n'est pas l'électricité !

— Si !

La discussion ne menant à rien, ils reviennent, par la pensée, au sapin que Karp doit être en train d'installer dans le salon. Il est défendu de voir l'arbre avant le grand jour. Sinon il n'y aurait pas de surprise. Ce sont les parents, aidés de

17

Douniacha, qui décorent les branches. Mais traditionnellement les enfants participent à la préparation des ornements de clinquant. Ils en ont déjà bricolé quelques-uns avant-hier et doivent continuer aujourd'hui. Pourquoi ne vient-on pas encore les chercher ? Youri s'impatiente :

— Douniacha a sûrement oublié !

— Ma mère n'oublie jamais rien ! réplique Sonia avec superbe.

Et c'est vrai : Douniacha est une horloge vivante. Elle a une mécanique dans le ventre. On peut lui faire confiance pour réveiller les enfants à l'heure, envoyer Karp chercher le courrier à la poste et rappeler à maman qu'elle attend trois dames pour le thé. Bien qu'elle n'ait pas rang d'intendante, tout repose sur elle à Koussinovo. Et son autorité est si douce qu'on est heureux de lui obéir. Un pas léger se rapproche dans le corridor. C'est elle, bien sûr. Et, comme d'habitude, elle n'a pas une minute de retard.

— Qu'est-ce que je t'avais dit ? s'écrie Sonia en courant vers la porte.

Douniacha est une petite personne brune, aux yeux marron foncé et au sourire de velours. Son geste est si gracieux et sa voix si mélodieuse qu'on la dirait nourrie exclusivement de miel. L'uniforme de sa fonction est une robe noire très stricte, à collerette et manchettes blanches. Par considération pour ses nombreuses qualités ménagères et autres, maman l'a dispensée de porter le tablier.

— Au travail, les enfants ! s'exclame Dounia-cha en pénétrant dans la chambre.

Et, les prenant l'un et l'autre par la main, elle les entraîne dans la lingerie, transformée provisoirement en atelier de découpage et de coloriage. Maman est déjà là, les ciseaux à la main. Elle est si blonde, si fragile que, chaque fois qu'il la voit, Youri a envie de lui demander des nouvelles de sa santé. D'ailleurs elle prend des gouttes tous les matins, à cause de ses nerfs. Aujourd'hui, elle est rayonnante. C'est qu'à l'approche de Noël tous les soucis sont balayés. Même papa ne parle presque plus de politique. Il est parti pour Moscou, hier. Il reviendra ce soir avec des nouvelles fraîches. Maman a mis sa robe de soie bleu nuit à volants. Le train arrivera tard. Mais on attendra le voyageur avant de passer à table. Pour le moment, il s'agit de confectionner avec ingéniosité le somptueux harnachement de l'arbre. Bien entendu, Zoé Ivanovna, qui méprise les traditions bourgeoises, a refusé, sous un mauvais prétexte, de s'associer aux préparatifs de la fête. Youri en est secrètement soulagé.

Dès que les enfants se sont assis autour de la longue planche posée sur deux tréteaux, on se met au travail. Maman, Douniacha, Youri et Sonia rivalisent d'adresse dans cette besogne artistique. On trempe des noix et des pommes de pin dans un liquide doré pour leur donner la précieuse apparence de pépites, on découpe des étoiles dans du carton d'argent, on assemble les anneaux d'une guirlande de papier multicolore, on taille et on incurve les bords d'une feuille blanche pour former les pétales d'une rose. Il y a, sur la table, des pots de colle, des pinceaux, des ciseaux à bouts ronds, des godets de peinture. Sonia, qui est la plus excitée de tous, a des paillettes d'or jusque sur les joues et sur le nez. Ses yeux brillent d'une gaieté insolite. Elle en deviendrait presque jolie. Sa dextérité à façonner des objets de bimbeloterie étonne Youri. Il lui en veut obscurément d'avoir l'esprit si inventif et les mains si habiles. Et subitement il n'a plus du tout envie de continuer à travailler près d'elle. Maman et Douniacha la complimentent à qui mieux mieux. Vexé, Youri prend le parti de la bouderie silencieuse. Il se croise les bras. Personne ne lui prête attention. Le temps lui paraît très long. Toutes ces femmes babillardes autour de lui! Indiscutablement, il manque une voix d'homme dans la maison. Depuis longtemps, on a allumé les lampes. La nuit colle aux vitres. Il ne neige plus. Un vent furieux siffle en s'engouffrant dans les conduits de cheminée. Quand donc papa reviendra-t-il ?

Soudain le voici, grand, pesant, large d'épaules, le visage las, l'air soucieux. Le voyage l'a fatigué. Il y avait trop de monde dans le train qui le ramenait à Kline. Maman ordonne de servir immédiatement le dîner pour qu'il puisse se coucher tôt. On est dans la dernière semaine du jeûne traditionnel précédant Noël. Le menu est maigre. Poisson blanc et pâté aux choux. Toute la salle à manger, au plafond à caissons et aux lourds meubles de palissandre, en est parfumée.

A table, papa commente d'un ton amer ses rencontres avec des gens soi-disant bien informés, à Moscou. Son inquiétude est telle qu'il en oublie de finir ce qu'il a dans son assiette. Il parle de l'échec d'un certain général Broussilov, dont l'offensive a été stoppée net par l'ennemi. Il dit qu'en ville on condamne ouvertement cette boucherie inutile, que le gouvernement est déconsidéré, qu'il y a même, parmi les intellectuels, de nombreux partisans d'une paix à n'importe quel prix. Youri écoute, bouche cousue, sans comprendre pourquoi son père attache une telle importance à ces événements, puisqu'à la maison tout va bien. Sonia semble se désintéresser de la conversation et roule de la mie de pain en boulettes sur la nappe. Maman respire difficilement et se tamponne les yeux, de temps à autre, avec un mouchoir de dentelle. Mais, chez elle, le sentiment d'insécurité est un état permanent. Elle a peur de tout, des orages, du plancher qui craque, de la dame de pique dans les jeux de cartes, des rêves prémonitoires, des souris, des araignées et des tremblements de terre. Seule l'institutrice, Zoé Ivanovna, est ragaillardie, et comme électrisée, par les propos de papa. On jurerait qu'il s'adresse à elle en particulier. Avec ses idées de révolte, elle doit se réjouir de tout ce qui afflige la famille Samoïlov. Pourtant elle ne fait aucun commentaire. Sans doute se souvient-elle du jour où papa l'a remise à sa place pour un mot de trop. Youri la scrute avec détestation. « Une sale bonne femme, décide-t-il. Elle ne nous aime pas parce que nous sommes heureux. » A cet instant précis, le lustre de la salle à manger s'éteint. Plongés dans le noir, les convives poussent un oh ! de surprise.

— Une panne ! hurle Youri avec joie.

— Prévenez Iermolaï ! ordonne maman.

— Inutile, dit papa. Il doit être déjà en train de descendre avec les luminaires de secours.

On rit autour de la table. L'atmosphère se détend. La guerre s'éloigne. Iermolaï apparaît, une lampe à pétrole dans chaque main. Éclairé

22

par-dessous, son vieux visage aux rides sèches a une expression de solennité sacerdotale. Ce ne sont pas des lampes qu'il transporte, mais des ostensoirs. Il les dispose au milieu de la nappe. Dans cet éclairage d'autrefois, toutes les figures sourient, mystérieusement renouvelées.

— Qui avait raison pour la panne? chuchote Youri en poussant Sonia du coude.

Elle lui tire un bout de langue rose. Il se rengorge. Iermolaï s'éloigne sur des semelles de silence. Igor, le laquais trembleur, change les assiettes.

— Avez-vous bien travaillé, cet après-midi? demande papa aux enfants.

— Ils ont fini toutes les décorations pour l'arbre, dit maman. Ce sera très joli!

La flamme brille, droite, sous le manchon de verre des lampes à pétrole. Une légère odeur, fade et grasse, se répand à travers la pièce. On a envie de se serrer les uns contre les autres comme dans les contes de fées, quand le vent hurle dehors, annonçant l'arrivée d'une sorcière. De toutes ses forces, Youri souhaite que la lumière électrique ne revienne pas avant demain.

II

A peine a-t-elle englouti sa tasse de lait sucré et ses deux tartines de confiture de groseilles que Sonia entraîne Youri dans la chambre d'enfants. Elle referme la porte sur eux, s'appuie des épaules au battant et chuchote :

— J'ai un secret à te dire, un grand secret. C'est maman qui me l'a appris hier soir, quand nous nous sommes couchées, après la panne d'électricité...

— Un secret à propos de quoi ?

— A propos de Zoé Ivanovna.

— Qu'est-ce qu'elle a fait ?

— Tes parents ont raconté devant maman que Zoé Ivanovna avait distribué des brochures socialistes dans le village. Pistounov en a trouvé dans les poches des ouvriers de la tannerie. Ton père a décidé que ça ne pouvait plus durer, qu'il fallait congédier Zoé Ivanovna sans explication...

— Comment ça, congédier ?

— La mettre à la porte, quoi !

La gravité de l'événement stupéfie Youri. Un tel verdict lui paraît aussi effrayant qu'un coup de tonnerre dans un ciel sans nuages.

— Ils lui ont déjà dit qu'ils la renvoyaient ? murmure-t-il.

— Pas encore. Ils sont en train de le faire. Elle devra s'en aller aussitôt après les fêtes.

— Et qui la remplacera ?

— Personne. C'est Marie Vassilievna elle-même qui nous donnera des leçons. Alexandre Borisso-vitch veut qu'elle nous apprenne aussi le français.

Youri s'habitue mal à entendre Sonia appeler sa mère et son père, solennellement, par leur double prénom : Marie Vassilievna, Alexandre Borissovitch... Mais, après tout, Sonia ne fait pas partie de la famille. Elle doit donc se plier à l'usage, comme n'importe quelle étrangère.

— Tu es content ? demande Sonia.

— Rudement content, oui ! avoue-t-il. Je ne pouvais plus supporter cette chipie. Elle est laide, mauvaise, sournoise, elle a de la moustache. Avec maman, ce sera très agréable, tu verras...

— J'en suis sûre ! souffle Sonia. Mais, tout de même, je regretterai Zoé Ivanovna...

— Parce que tu étais sa chouchoute ?

— Elle était sévère, mais juste. Et puis je pense à son chagrin. Être chassée comme ça, juste à l'approche de Noël, c'est horrible !

Youri convient qu'il est humiliant d'être flanqué dehors en période de fêtes. Mais Zoé Ivanovna n'a-t-elle pas mérité ce qui lui arrive ? Elle a été engagée pour instruire les enfants, non pour répandre dans les campagnes des théories qui déplaisent à tous les gens convenables.

— Que va-t-elle devenir ? soupire Sonia.

— Ne t'en fais pas ! Elle trouvera une autre place et d'autres enfants à enquiquiner !

— Tu es méchant avec elle !

— Elle l'a bien été avec moi !

Maman entre sur ces entrefaites. Elle a une expression de fatigue et de confusion qui inquiète Youri.

— Je vous annonce que Zoé Ivanovna ne vous donnera plus de leçons, dit-elle. Je me suis séparée d'elle à l'instant. Elle a d'ailleurs pris la chose avec beaucoup de calme. Il est entendu qu'elle quittera la maison le 2 janvier au matin, ce qui lui laisse plus d'une semaine pour se préparer... D'ici là, soyez très gentils avec elle.

— Mais pourquoi l'as-tu renvoyée ? demande Youri.

— Cela ne te regarde pas... Des histoires de grandes personnes... N'oubliez pas de vous laver les mains avant le déjeuner.

— Elle va manger avec nous ?

— Bien sûr ! réplique maman. Comme d'habitude !

Et elle sort de la chambre, laissant les enfants décontenancés. Youri se demande quelle attitude il conviendra de prendre devant la réprouvée. Devra-t-il avoir l'air d'être au courant de tout ou de tout ignorer ?

Il reste une heure avant le déjeuner. Les minutes s'éternisent. A tout hasard, les enfants vont flâner du côté de l'office. La domesticité ne parle que du licenciement de Zoé Ivanovna. Mais, devant Youri, on change de conversation. Tout ce qu'il peut apprendre, c'est que l'institutrice s'est enfermée dans sa chambre, là-haut.

Elle ne reparaît qu'au moment de passer à table. Sa physionomie témoigne d'une indifférence glaciale. Visiblement, elle méprise cette famille qui ne veut plus d'elle. Cependant elle se restaure avec appétit. Grâce aux efforts de tous, le repas se déroule sans anicroche. Papa évite de parler politique et maman est très aimable avec la condamnée. Trop peut-être. Youri a hâte qu'on en arrive au dessert.

Comme l'après-midi est ensoleillé, maman suggère que les enfants aillent s'amuser dans le jardin. Zoé Ivanovna accepte, avec hauteur, de les surveiller. Elle les emmitoufle, les emmène dehors, va s'asseoir sur un banc, au bord de l'allée de tilleuls, et ouvre un livre sur ses genoux. Youri et Sonia commencent par se jeter des boules de neige. Puis ils détachent et font courir en tous sens le gros saint-bernard Bari, au pelage blanc et roux, qui loge ordinairement dans sa niche, près de l'écurie. Il est si drôle quand il se dresse de toute sa taille et pose ses deux énormes pattes sur les épaules de son jeune maître pour lui lécher la figure ! Sous la poussée du chien, Youri tombe à la renverse. Roulant la tête de droite et de gauche pour échapper aux coups de langue de l'animal, il reçoit en pleine face son haleine chaude et s'étrangle de rire. Après dix minutes de bagarre joyeuse, il en a assez et remet Bari à la chaîne. Alors Sonia propose de jouer aux quilles. Le tirage au sort désigne Youri pour débuter. Il s'applique, mais n'obtient qu'un résultat médiocre. Sonia, plus adroite, prend l'avantage. Elle lance la boule avec moins de force que Youri, mais vise mieux. Quand elle réussit un coup, elle en appelle à l'admiration du public :

— Regardez, Zoé Ivanovna, regardez !...

Imperturbable, l'institutrice ne lève pas les

yeux de la page qu'elle est en train de lire. Sans doute a-t-elle en main un de ces livres que papa déteste. Le soleil chauffe ; la neige est comme couverte d'une poussière de diamants ; Youri enrage de ne pouvoir prendre le dessus dans cette compétition avec une fille, qui, par définition, n'a pas de muscles. On fait une seconde partie : la revanche ! De nouveau, c'est Youri qui commence. Il a plus de chance que la première fois. Bientôt, sur neuf quilles il n'en reste plus que trois debout, dont celle du milieu. Rassemblant sa volonté, Youri cligne un œil et balance à bout de bras, de toutes ses forces, la lourde sphère de bois. Mais, soudain, la boule lui échappe, décrit une trajectoire oblique et frappe violemment Zoé Ivanovna à la tête. L'institutrice pousse un cri, porte les deux mains à son front et s'affaisse sur le banc. Son bonnet de fourrure a glissé par terre. Un jus rouge filtre entre ses doigts qu'elle presse contre son visage. Youri balbutie :

— Je l'ai tuée ! Je l'ai tuée !

Sonia pousse des appels stridents et se précipite vers la maison pour chercher de l'aide. Affolé par cette agitation, Bari aboie de sa grosse voix rauque en tirant sur sa chaîne. Maman et Douniacha accourent, suivies de Karp et de Iermolaï. On relève la blessée, on l'emmène, gémissante, chancelante, blafarde. L'assassin marche derrière, tête basse. Son remords est tel qu'il voudrait mourir. Sonia lui prend la main :

— C'est un accident. Tu n'y es pour rien !

Il se dégage :

— Non, tout est de ma faute ! J'ai voulu frapper trop fort ! C'est affreux ! Et la veille de Noël encore !...

Des sanglots le secouent. Tous les domestiques sont en émoi. Karp attelle le traîneau pour aller quérir un médecin.

Peu après, les clochettes des chevaux annoncent son retour. Le coupé s'arrête devant le perron. Karp en extirpe le vieux petit docteur Pliaskine, qui tient sa trousse d'une main et s'appuie de l'autre sur sa canne à pommeau d'ivoire. Médecin et cocher disparaissent dans les profondeurs de la maison.

Réfugiés dans la chambre d'enfants, Youri et Sonia attendent, muets, pétrifiés, des nouvelles de la victime. On entend des portes qui claquent, des pas qui courent à l'étage au-dessus. Enfin, Douniacha surgit, l'air victorieux :

— Tout va bien, dit-elle. La plaie est superficielle. Seul le cuir chevelu est entamé. Le docteur a fait un bandage et a prescrit le repos.

La poitrine délivrée d'un grand poids, Youri se signe, tourné vers l'icône. A son tour, maman vient le rassurer. Mais elle exige qu'il aille

immédiatement présenter ses excuses à Zoé Ivanovna.

— Que dois-je lui dire ? demande Youri.

— Ce que te dictera ton cœur, réplique
maman en souriant avec une désarmante séré-
nité.

Et elle pousse Youri doucement, par les
épaules, hors de la chambre. Il monte l'escalier
comme s'il allait à l'échafaud, frappe à la porte de
Zoé Ivanovna, attend la réponse, le cœur battant, entre et s'immobilise, perclus, fautif, déses-
péré, devant une sorte de fakir livide, à la tête
enturbannée et au regard de braise. L'institutrice
est assise, tout habillée, au bord de son lit et tient
toujours le même livre sur les genoux.

— Je vous demande pardon, Zoé Ivanovna,
bredouille Youri. Je n'ai pas fait exprès. Je
regrette…

— Il est bien temps de regretter, riposte-
t-elle abruptement. Vos parents devraient vous
interdire ce jeu brutal et stupide !

— Vous avez très mal ?

— C'est mon affaire.

— Vous m'en voulez ?

— Même pas. D'ailleurs, vous allez être bientôt débarrassé de ma présence.

Ses lèvres ont un pincement de souveraine
ironie. Youri, douché, bat en retraite.

Zoé Ivanovna ne se montre pas de la journée. Igor lui monte le dîner sur un plateau, dans sa chambre. Maman retourne la voir pour une grande conversation. Quand elle redescend, Youri, qui la guette au bas des marches, lui trouve une mine embarrassée. A tout hasard, il demande :

— Comment va-t-elle ?

— Elle se plaint de maux de tête, dit maman.

— Mais elle partira tout de même dans huit jours ?

Maman détourne les yeux avec un soupir de lassitude. Sa main n'a pas quitté la rampe. Elle tapote distraitement la pomme d'escalier.

— Eh bien, non ! murmure-t-elle enfin. Après ce qui s'est passé, ton père et moi avons estimé qu'il ne serait pas humain de la renvoyer. Elle a été victime d'un accident, chez nous, par ta faute. La moindre des choses est de ne pas aggraver sa situation en la jetant à la rue. Je lui ai demandé de rester.

— Et elle a dit oui ?

— Sans hésiter.

— Elle t'a remerciée ?

— Non. Mais elle n'avait pas à le faire. Je suis contente que les choses se soient arrangées si vite. Autrement, notre Noël aurait été gâché par le remords.

Youri approuve, mais sa conviction est flot-tante. Il est à la fois heureux que la paix soit revenue dans la maison et malheureux de se retrouver, comme par le passé, sous la férule de l'institutrice.

— Alors elle va continuer à nous apprendre ? demande-t-il.

— Évidemment !

Sonia, qui a rejoint Youri au pied de l'escalier, bat des mains sottement. Il baisse la tête. Pour un peu, il regretterait de n'avoir pas envoyé la boule de bois avec plus de force. Heureusement que demain on fêtera la naissance du Christ. L'idée de l'arbre, des lumières, des cadeaux aide Youri à supporter sa déconvenue.

Noël se passe avec tout l'éclat qu'exige la tradition. La famille se rend aux vêpres dans la petite église du village, pleine de monde et dont les murs vibrent à se rompre au chant puissant du chœur. La domesticité est là au grand complet. Mais Zoé Ivanovna a refusé de venir. Elle a dit qu'elle ne voulait pas se montrer en public avec un pansement sur la tête et que, d'ailleurs, elle était hostile aux « simagrées religieuses ».

De retour à la maison, papa procède avec

pompe à l'ouverture des portes du salon. Un parfum de résine forestière se répand au-delà du seuil. Le sapin apparaît, méconnaissable sous ses riches ornements de guirlandes, d'étoiles et de noix dorées. Cent bougies brillent dans ses branches sombres qui ont été, çà et là, parsemées de flocons d'ouate pour simuler la neige. A ses pieds s'étalent, sur un drap brodé, les cadeaux enveloppés dans des papiers de couleurs vives. Maman les distribue avec une savante lenteur pour faire durer l'attente et augmenter le plaisir. Youri reçoit la locomobile miniature qu'il convoitait et Sonia encore une poupée. Les serviteurs, qui se pressent au fond de la pièce, ne sont pas oubliés. Autour des parents, c'est un murmure de bénédiction. Par extraordinaire, Zoé Ivanovna est descendue de sa chambre et se tient dans un coin, la tête droite sous sa coiffe de bandages. On dirait qu'elle porte un fromage blanc sur le crâne. Maman s'avance vers elle et lui remet un petit écrin. Zoé Ivanovna l'ouvre, en tire une jolie montre ronde, s'étonne et, à contrecœur, remercie. Sur quoi, papa se met au piano et tout le monde entonne : « Gloire à Dieu au plus haut des cieux. » La plupart des domestiques chantent faux. Papa, qui a l'oreille musicale, fait la grimace. Maman rit et applaudit.

Zoé Ivanovna lorgne sa montre. Il semble à Youri qu'il n'est plus coupable de rien.

Le lendemain, on rallume l'arbre et les gamins du village défilent en piétinant dans le salon. Ils sont gourds, endimanchés, leurs cheveux sont plaqués avec de la graisse d'oie et ils se tiennent par la main pour s'encourager l'un l'autre. Selon la coutume, ils chantent tous ensemble une chanson et tournent en lente farandole autour du sapin décoré. Youri et Sonia restent assis à l'écart de la ronde. Ils n'appartiennent pas au même monde que ces enfants de moujiks. Zoé Ivanovna observe la scène avec réprobation. Quand ils ont fini leur aubade, les petits visiteurs font un profond salut et maman donne à chacun quelques kopecks. Après leur départ, il flotte dans la pièce une odeur de semelles chaudes.

Ensuite, c'est Varvara, l'ancienne nounou de Youri, qui rend sa visite annuelle à la famille. Elle a bercé, torché, élevé le fils unique des Samoïlov, lui a empli la tête de légendes et de dictons populaires, puis est retournée vivre au village où elle s'est mariée. Quand il voit arriver cette matrone souriante aux joues roses et aux seins rebondis, Youri reste silencieux. Il a tellement changé depuis le temps où elle le mignotait qu'il est presque ennuyé de l'entendre rabâcher des souvenirs de son enfance. Sonia, elle, paraît très intéressée par les racontars de Varvara et lui demande de revenir, la veille du Nouvel An, pour dire la bonne aventure, comme il est d'usage à la campagne. La nounou, flattée, affirme que, neuf fois sur dix, ses prédictions se sont réalisées. Rendez-vous est pris pour le 31 décembre au crépuscule.

Ce jour-là, Sonia s'habille avec plus de recherche que d'habitude. Elle se préoccupe beaucoup de la couleur des rubans qui retiennent ses cheveux et en change trois fois dans l'après-midi : rose pâle, bleu azur, vert émeraude... Youri juge cette coquetterie idiote. Mais maman la comprend et l'approuve. Elle soutient que le premier devoir des femmes est de se montrer, en toute occasion, à leur avantage. Ses attentions envers Sonia agacent un peu Youri qui se rappelle lui avoir entendu dire, dans un cercle de dames en visite, qu'elle aurait préféré une fille. « A mon avis, une fille est toujours plus proche de sa mère. Il y a entre elles deux une complicité de sentiment qui est impossible avec un garçon. » Cette phrase est restée dans les oreilles de Youri et il y repense chaque fois que maman témoigne trop de tendresse à sa protégée.

Les heures se traînent jusqu'à l'arrivée de Varvara. Enfin la voici et, d'emblée, Youri et Sonia l'emmènent dans la chambre d'enfants. On tire les rideaux, car, comme chacun sait, l'obscurité est nécessaire à l'exercice de la voyance ; on allume deux bougies devant une cuvette pleine d'eau et Varvara, étendant ses mains noueuses au-dessus du récipient, prononce à mi-voix des mots magiques qui n'appartiennent pas à la langue russe. Ensuite, elle interroge l'avenir en invitant Youri à chauffer l'une des bougies à la flamme de l'autre pour la faire fondre. Il s'exécute, le cœur serré par tant de mystère. D'épaisses larmes de cire coulent et se solidifient à la surface de l'eau en figurines biscornues. C'est dans ces formes figées que Varvara prétend lire un signe du destin. Elle réfléchit un instant et demande :

— Qu'est-ce que tu vois là-dedans, Yourotchka[1] ?

— Rien, répond Youri à regret.

— Moi, j'y vois une carte comme il y en a dans notre livre de géographie ! s'exclame Sonia.

— Tu as raison, dit Varvara. Il s'agit bien d'une carte. La carte d'un pays que je ne connais pas... Un pays étranger, sans doute. Un pays que tu visiteras quand tu seras grand...

Déçu, Youri cède la place à Sonia. Tenant le bâtonnet de cire entre deux doigts, elle l'incline

---

1. Diminutif affectueux de Youri.

au-dessus de la cuvette. De petites flammes dorées tremblent dans ses yeux. Son sourire est celui de la divination. La bougie mollit et s'égoutte. Sur l'eau se profile une sorte de rond blanchâtre.

— On dirait une roue ! murmure Sonia.

— C'est une roue, en effet, décrète Varvara. Ça signifie que tu feras, toi aussi, un grand voyage.

— Avec qui ?

— Là, tu m'en demandes trop, ma petite.

— Ce sera peut-être mon voyage de noces !

— Pourquoi pas ?

— Quand me marierai-je ?

— Tu es trop jeune pour que je puisse te répondre. Même les astres ne le savent pas encore. On en reparlera quand tu auras dix-sept ans !

Sonia lance à Youri un regard par en dessous, dont la vivacité l'étonne. A croire qu'il y a entre eux un secret que Varvara doit ignorer. Pour clore la séance, Varvara entreprend de se renseigner sur son propre sort. La bassine d'eau lui révèle qu'elle aura encore trois enfants. Comme elle en a déjà deux, elle se désole. A maman, qui entre sur la pointe des pieds dans la chambre, elle avoue que son mari la bat. Maman l'embrasse, lui glisse une enveloppe dans la main, mais refuse de se prêter aux prophéties de la cire dans l'eau.

— Je préfère ne pas savoir ce qui m'attend, conclut-elle rêveusement.

Youri lui donne raison. Cela ne l'intéresse pas de se dire qu'il visitera peut-être « un pays étranger » dans quelques années. Sa curiosité s'arrête aux tout prochains jours.

Après le départ de Varvara, les enfants dînent tôt et vont immédiatement se coucher, car les Samoïlov attendent de nombreux invités pour le réveillon du 31 décembre. De son lit, Youri entend les clochettes des traîneaux qui arrivent les uns après les autres et se rangent devant le perron. Des bruits de voix, des rires, des tintements de vaisselle traversent les murs de sa chambre. Il participe en aveugle aux festivités des grandes personnes. Jamais il ne pourra dormir avec ce joyeux remue-ménage dans la maison ! A peine s'en est-il convaincu qu'il coule à pic, comme tiré par les cheveux, dans une eau profonde.

Un craquement de parquet le réveille. Il ouvre les yeux et devine, à la lueur de la veilleuse qui brûle sous l'icône, la silhouette de sa mère penchée à son chevet. Sans doute minuit vient-il de sonner à toutes les pendules de Koussinovo. Maman tient une flûte de cristal à la main. D'un doigt léger, elle mouille les lèvres de Youri avec du champagne. C'est âpre et piquant.

— Bonne année 1917, Yourotchka! lui dit-elle.

Et elle l'embrasse. Puis elle s'esquive, impondérable, irréelle, laissant dans la pénombre le souvenir de son parfum. Est-elle vraiment venue ou a-t-il rêvé? Peu importe. Il se rendort avec une impression de sécurité absolue. Les invités peuvent entrechoquer leurs verres, Zoé Ivanovna peut bouillir d'indignation dans sa chambre, Sonia voir des rubans roses ou bleus en songe, Douniacha soupirer parce qu'elle est, comme papa l'a dit un jour à maman, « fille-mère » et Iermolaï regretter qu'il n'y ait pas eu de panne d'électricité la nuit du Nouvel An, il se sent supérieur à tous ces gens parce qu'il s'appelle Youri Samoïlov, qu'il habite une grande et belle maison, qu'il a un bon chien et que ses parents l'aiment.

III

Au début du mois de février, il y a un tel afflux de blessés dans la région que Zoé Ivanovna se découvre soudain une âme d'infirmière. Chaque jour, elle délaisse un peu plus Youri et Sonia pour se faire conduire en traîneau, par Karp, à l'hôpital de Kline, où elle prétend accomplir les tâches charitables et bénévoles que lui dicte son amour du prochain. Bientôt, elle n'assure plus qu'une ou deux heures de cours le matin, à la sauvette. Encore a-t-elle, pendant ces rares exercices pédagogiques, un air distrait et radieux qui témoigne de son indifférence envers ce qu'elle enseigne. C'est à peine si elle lit les devoirs des enfants et, à tout hasard, elle leur distribue des notes meilleures que par le passé. Maman n'ose protester contre les libertés que l'institutrice prend avec son travail puisque, ce faisant, elle obéit à un élan patriotique. Quant à Youri, il se réjouit d'avoir moins souvent sur le dos cette froide donneuse de leçons.

Le soir, elle rentre de Kline à la fois exténuée et exaltée, et, sans qu'on lui demande rien, parle avec volubilité de l'état misérable de ses malades, du manque de lits et de médicaments, et de la monstrueuse inconscience du tsar qui s'obstine à poursuivre la guerre malgré les souffrances d'un peuple saigné à blanc. Son patient préféré est un certain lieutenant Victor Victorovitch Babounov, qui, bien qu'ayant eu la jambe endommagée par un éclat d'obus, a par miracle échappé à l'amputation. Mais il boitera toute sa vie, ce qui fait dire à Zoé Ivanovna :

— Il a donné sa jambe au tsar et, en récompense, le tsar lui a donné une médaille de trois kopecks.

— Ce pauvre blessé n'a fait que son devoir, soupire maman. Ils sont des milliers comme lui...

— Le devoir d'un homme, c'est de garder sa peau intacte quoi qu'il arrive, réplique l'institutrice avec un regard noir.

Sans doute est-ce l'opinion de tout le pays, car même papa maintenant parle de la menace d'un soulèvement des « masses mécontentes ». Youri ne sait pas au juste ce que représentent ces masses. Il imagine vaguement un troupeau de moutons saisis de folie et se félicite que la famille habite loin de Petrograd, ville de tous les dangers. Peu après, il apprend, par la conversation de ses parents, que la Russie est dirigée par un gouvernement provisoire, puis que le tsar a renoncé au trône, enfin que la guerre continue de plus belle. Maman pleure parce que la Russie n'a plus d'empereur. Elle dit que c'est comme si elle avait perdu un père. Papa aussi a l'air désorienté et effrayé. Mais il tente de rassurer maman et de se rassurer lui-même en répétant : « C'est peut-être mieux ainsi... Comment savoir ? » Seule Zoé Ivanovna arbore un visage de dédaigneuse impertinence.

Le lendemain du jour où les gazettes ont publié la nouvelle de l'abdication de Nicolas II, l'institutrice annonce, à table, que Victor Victorovitch Babounov est sur le point de quitter l'hôpital et qu'elle va le suivre dans son village, en Ukraine, pour passer avec lui le temps de sa convalescence. Après quoi, comme il sera sûrement réformé, elle compte l'épouser ou, du moins, vivre avec lui en union libre. En articulant les mots « union libre », elle redresse la tête dans un mouvement de défi à la société bourgeoise. Youri est stupéfait en songeant que Zoé Ivanovna, avec sa moustache et son air rébarbatif, a pu décider un homme, même boiteux, à partager sa vie. Il regarde sa mère, son père, croyant que, d'étonnement, ils vont tomber de leur chaise. Mais ils ne bronchent pas. Comme s'ils avaient deviné, depuis longtemps, que Zoé Ivanovna ne fréquentait pas l'hôpital pour le seul plaisir de se dévouer aux victimes de la guerre.

— Je vous félicite, lui dit papa. Et quand comptez-vous nous quitter ?

— Demain, réplique l'institutrice d'un ton sec. Je vous demanderai de préparer mon compte.

— Il faut toujours suivre les impulsions de son cœur, murmure maman. Bonne chance, Zoé Ivanovna...

Zoé Ivanovna rayonne, raide comme un piquet et la lèvre crispée dans un sourire d'arrogance. Youri estime qu'elle a de quoi se réjouir : quelques semaines plus tôt on la congédiait et, aujourd'hui, c'est elle qui décide de partir. « Bon débarras ! » se dit-il tout en se gardant, par politesse, de montrer sa joie.

En sortant de table, Zoé Ivanovna raccompagne les enfants dans la chambre, où ils ont le droit de s'amuser pendant une demi-heure, chaque soir, avant de se séparer pour aller au lit. Comme elle s'apprête à repasser la porte, Sonia lui demande d'une voix angélique :

— Vous n'auriez pas une photographie de votre fiancé ?

Les joues de l'institutrice s'enflamment. Elle se trouble, hésite et enfin, tirant d'une poche de sa jupe un portefeuille de cuir jaune, en extirpe, avec une sorte de contentement honteux, une photographie rectangulaire de petit format.

— Voici Victor Victorovitch Babounov, la veille de son départ pour l'armée, dit-elle.

Youri regarde ce bonhomme grassouillet, au nez en trompette et à l'œil bovin, et tente d'imaginer Zoé Ivanovna dans ses bras. Autant essayer d'assembler des morceaux de puzzle appartenant à deux boîtes différentes. Soudain, il entend Sonia qui s'exclame :

— Je le trouve très sympathique et... et très beau !

— N'est-ce pas ? dit Zoé Ivanovna.

Et, courbant la taille, elle dépose un baiser maladroit sur le front de la fillette. C'est la première fois qu'elle embrasse l'un des enfants. D'ailleurs elle-même semble étonnée de son geste. Elle reprend la photographie et sort sans un mot, l'air irrité et confus. Quand elle a refermé la porte, Youri chuchote :

— Tu le trouves vraiment très beau ?

— Non, répond Sonia.

— Alors pourquoi tu l'as dit ?

— Quand on est civilisé, il faut savoir faire plaisir aux gens.

Sonia affectionne le mot « civilisé ». Elle le met à toutes les sauces. Youri ne veut pas paraître ignare en la priant de préciser la signification de ce terme à la consonance distinguée.

— Civilisé, civilisé, marmonne-t-il, moi, je veux bien. Mais je me demande comment ce Victor Victorovitch a pu la trouver à son goût !

Sonia esquisse un sourire de science infuse :

— Ça, c'est le mystère des femmes !

Youri se sent emporté dans un domaine de rouerie sentimentale, de coquetterie perverse où il n'a que faire.

— Oui, oui, bien sûr, dit-il. Mais il n'empêche qu'elle est moche et qu'elle va se marier. C'est drôle qu'elle y soit arrivée, voilà tout !

— L'amour, c'est toujours incompréhensible pour les autres !

— Elle a du poil sur la lèvre !

— Mais elle a de beaux yeux !

— Je ne l'ai pas remarqué.

— Tu ne remarques rien !

— En tout cas, cette fois, elle semble bien décidée à fiche le camp. Pourvu qu'elle ne change pas d'avis d'ici à demain !

Zoé Ivanovna ne change pas d'avis. Le lendemain, ayant touché son dû et exigé un certificat de travail, que papa rédige séance tenante, elle demande à Karp de charger ses deux valises dans la calèche. Il doit la conduire à Kline. De là, elle prendra le train, avec Victor Victorovitch Babounov, pour Moscou. Au moment de la séparation, maman ne peut s'empêcher de la bénir d'un signe de croix. Zoé Ivanovna soupire :

— Ne vous donnez pas cette peine, Marie Vassilievna. Ce qui doit arriver arrivera, avec ou sans bénédiction de ce genre !

Elle veut serrer la main à tous les domestiques, à commencer par Douniacha et à finir par Iermolaï, mais n'accorde à papa qu'une mécanique inclinaison de tête. Quant à Sonia, elle a droit à un sourire et à quelques paroles suaves :

— Je me souviendrai de toi. Tu es une bonne petite !

Youri, lui, doit se contenter d'une tape sur la joue qui ressemble moins à une caresse qu'à une gifle. Manifestement, Zoé Ivanovna l'a, depuis longtemps, classé dans les rangs de ses adversaires idéologiques. En s'asseyant dans la voiture, elle s'écrie sur un ton de joyeuse délivrance :

— Je ne vous dis pas au revoir, Marie Vassilievna, Alexandre Borissovitch, car sans doute ne nous reverrons-nous jamais !

Maman agite faiblement son mouchoir. Il fait

doux et humide. La neige a fondu par plaques sur la pelouse, découvrant des îlots d'herbe jaune. Lorsque la calèche s'est éloignée en cahotant dans la boue du chemin, Youri décide que l'événement le plus important de la semaine n'est pas l'abdication du tsar mais le départ de l'institutrice. Il voudrait que Sonia partage sa joie, mais elle paraît songeuse et comme affectée par la perte d'une amie.

A dater de ce jour, maman se met en quête d'une autre institutrice. Il s'ensuit, à la maison, un défilé de créatures faméliques, qui se prévalent toutes de leurs diplômes. Mais, à l'essai, aucune ne se révèle capable d'enseigner aux enfants la grammaire et l'arithmétique. A croire qu'avec le développement de la guerre les rares personnes qualifiées ont déjà trouvé un emploi dans les bureaux ou les écoles de la région. En désespoir de cause, maman décide qu'elle se chargera elle-même d'instruire son fils et Sonia. Elle en profitera pour leur apprendre un peu de français, langue que, d'après papa, elle parle assez bien.

Cependant, elle est souvent fatiguée, ou occupée à recevoir des amies, ou allongée dans sa chambre avec une migraine. Les leçons s'espacent au gré de ses caprices. On ne sait jamais la veille ce qu'on va faire le lendemain. Cet emploi du temps élastique réjouit Youri. Il en arrive à souhaiter que maman oublie tout à fait ses obligations scolaires. Le jardin est si attirant à l'approche des beaux jours ! Tout dans les prés, dans les bois s'éveille, bourgeonne, suinte sous un ciel aux tiédeurs printanières. Les ruisseaux se gonflent avec un murmure de délivrance. L'eau imprègne la mousse, imbibe les troncs d'arbres, s'égoutte au bord des toits inclinés. Un menuisier du village retire les doubles fenêtres et les bandes d'ouate qui les ont calfeutrées pour l'hiver. Le chien Bari gambade en aboyant de sa voix lourde au milieu des flaques. Pour fêter le retour des alouettes, la cuisinière Agafia confectionne, comme chaque année, des petits pains torsadés, en forme d'oiseaux, avec des raisins secs à la place des yeux.

Malgré ces joyeusetés, papa a l'air préoccupé et même mécontent ; il lit beaucoup de journaux et des amis lui téléphonent de Moscou pour le renseigner sur la politique. A table, on parle de gens importants qui s'appellent Kerenski, Milioukov, le prince Lvov, Terestchenko, du Soviet des ouvriers et des soldats dont les décisions révolutionnaires embarrassent fort les ministres, d'un certain Lénine que les Allemands ont expédié en Russie pour qu'il achève de désorganiser l'armée, du pauvre Nicolas II qui est emprisonné à Tsarskoïe Selo avec sa famille... Cependant le gouvernement provisoire a, paraît-il, la situation bien en main. La guerre continue. Et, à Koussinovo, on songe déjà aux prochaines fêtes de Pâques. Il semble, en effet, qu'aucun cataclysme ne puisse empêcher la célébration de ce grand jour.

Douniacha veille au récurage méthodique de la maison. Des parquets aux vitres et des cadres de tableaux aux poignées de portes, tout, selon elle, doit resplendir pour commémorer la résurrection du Christ. Elle renouvelle l'huile des veilleuses devant les icônes et passe au pétrole les châlits dans la soupente des domestiques, pour éviter le retour des punaises.

Cependant, Agafia se désole parce que, à cause des maudites réquisitions militaires, on ne trouve presque plus d'œufs, de lait ni de farine au village. Comment veut-on qu'elle prépare les koulitchs, ces succulentes brioches pascales, et les paskhas de fromage blanc sucré si on ne lui fournit pas les ingrédients nécessaires ? Douniacha fait face avec la détermination d'un capitaine bravant la tempête. Elle part, avec Karp, pour visiter tous les hameaux d'alentour. Le soir elle revient, modestement radieuse. En payant le double du prix habituel, elle a obtenu des paysans tout ce qu'elle désirait. En dépit de la guerre, la famille Samoïlov pourra célébrer Pâques de façon chrétienne.

Pour l'instant, on est encore en plein Carême. De longues semaines de jeûne préparent le cœur et l'estomac à une formidable explosion de joie et de gourmandise. Peu avant la nuit sacrée, le parfum de la levure, de la vanille, des amandes pilées et de la cannelle se répand de la cuisine dans toute la maison. Enfants et domestiques participent au coloriage des œufs durs. Après qu'ils ont été peints, Douniacha graisse leur coquille avec un bout de lard, pour leur donner du luisant. Ce sont de véritables bijoux, à l'éclat précieux, qui s'amoncellent dans les saladiers.

Le Samedi saint, le père Trophime vient exprès du village pour bénir les victuailles qui seront consommées après le service religieux de Pâques. Un cochon de lait rôti trône au milieu de la table, entouré de koulitchs, de paskhas, de pyramides d'œufs aux couleurs vives et de flacons de vodka. L'ensemble est si plaisant à l'œil qu'il est difficile de penser à Dieu en contemplant ce panorama alimentaire.

Et pourtant toute la maisonnée s'apprête fébrilement pour l'office nocturne. Youri est très fier d'assister à cette cérémonie, maintenant qu'il a l'âge de veiller comme les grands. En se rendant à l'église, avec son père et sa mère, il a conscience à la fois de l'importance de l'événement et de sa propre importance. Karp, qui conduit la voiture, a un ruban à son chapeau et les deux chevaux portent, eux aussi, des rubans à la cocarde de leur harnais. Leurs clochettes sonnent plus gaiement que de coutume. Les domestiques suivent dans des télègues.

Soudain, le gouffre scintillant du temple s'ouvre devant la famille. Les fidèles s'écartent avec un murmure déférent pour laisser passer les Samoïlov jusqu'au premier rang. On se salue entre voisins. Chacun, dans la foule, tient entre ses doigts un fin bâton de cire à la mèche allumée. Youri écoute la messe dans un sentiment d'extase, le regard fixé sur la flamme tremblante de son cierge, et sans même songer à prier. A un moment donné, conformément au vieux rite orthodoxe, le clergé sort en procession, avec bannières et icônes, et fait trois fois le tour de l'église, cherchant symboliquement le Christ qui n'est plus dans son tombeau. Puis, revenu dans le sanctuaire, le père Trophime, superbe dans sa chasuble d'or, annonce d'une voix claironnante : « Christ est ressuscité ! » Aussitôt toute l'assistance répète la bonne nouvelle.

« Christ est ressuscité ! » disent les uns. « En vérité, il est ressuscité ! » répondent les autres. Le chœur entonne un hymne de céleste allégresse. Les cloches sonnent au-dessus des têtes. On s'embrasse entre parents, entre amis, entre inconnus, entre maîtres et serviteurs, dans le clignotement mystérieux des cierges et l'odeur un peu écœurante de l'encens. Ayant échangé le triple baiser pascal avec son père et sa mère, Youri se tourne vers Sonia. Elle lui sourit d'un air heureux et calme. Chaque année, il sacrifie ainsi, sans y penser, à l'usage. Pour la première fois, à l'instant d'effleurer des lèvres la joue de Sonia, il éprouve une gêne devant cette peau rose et lisse. Ce qui lui déplaît, c'est l'idée que ses parents, que Douniacha, que des voisins peut-être guettent son geste. Il déteste se donner en spectacle. Surtout aux côtés d'une fille qui fait la coquette, les paupières mi-closes et des rubans dans les cheveux. Empoté et furieux, il lui dit : « Christ est ressuscité ! » d'un ton aussi rogue que s'il lançait une injure. Puis, avec brusquerie, il l'embrasse. Sonia sent la vanille. Comme les paskhas d'Agafia.

En quittant l'église, les gens de toute condition continuent à se congratuler et à échanger des baisers fraternels. Craignant de nouvelles avances de Sonia, Youri se réfugie auprès de son père. Alexandre Borissovitch discute avec un homme en uniforme de capitaine, dont la manche gauche pend, vide et plate, sur le côté. Un héros, sans doute. L'homme murmure :

— Non, Alexandre Borissovitch, votre Kerenski n'est pas à la hauteur. Les bolcheviks font de lui ce qu'ils veulent. Tout est perdu !

— Qu'est-ce qui est perdu ?

— La guerre, la Russie, et nous avec !

D'abord, Youri en veut à ce militaire manchot de gâcher le plaisir que tous se promettent de la soirée pascale. Heureusement, après une seconde de réflexion, papa retrouve son humeur de fête.

— Dieu sauvera notre pays ! dit-il en appliquant une tape sur l'épaule du capitaine. Il ne peut en être autrement !

Un énorme souper attend, à la maison, la famille et quelques voisins. Selon la coutume, les convives choquent l'un contre l'autre les œufs coloriés qu'ils ont choisis dans le tas, afin de désigner par élimination le « champion », celui dont la coquille aura résisté à tous les assauts. C'est Youri qui triomphe, avec un œuf peint en rouge écarlate. Il en tire quelque vanité, comme si cet exploit témoignait de son adresse. Du coin de l'œil, il quête l'approbation de Sonia. Mais elle regarde ailleurs, pendant que les invités applaudissent en riant le vainqueur de l'épreuve. Peut-être fait-elle exprès de paraître indifférente ? Une dame observe, par plaisanterie, que l'œuf de Youri a la couleur rouge chère aux bolcheviks. Cette remarque le contrarie et il pique du nez dans son assiette.

Après avoir vidé les plats de zakouskis, dont la variété aiguise l'appétit, on passe au cochon de lait. Cette chair savoureuse, agrémentée de raifort, donne soif. Karp et Igor s'affairent pour remplir les verres de vodka. Les hommes avalent l'alcool d'un trait, les femmes par petites lampées. On boit à la santé de la maîtresse et du maître de maison, aux vaillants soldats russes, à la victoire des Alliés sur l'Allemagne. Maman porte un toast à la famille impériale. Tous se lèvent pour saluer le courage de Leurs Majestés dans le malheur. Youri et Sonia, seuls enfants admis à la table, reçoivent un doigt de vin blanc pour trinquer avec les autres.

Quand vient le moment, tant attendu, de goûter au koulitch, d'une pâte si douce, coiffé de sucre fondu, et à la paskha de fromage blanc, bourrée de fruits confits, Youri sent le contenu de son estomac lui remonter aux lèvres. Sur le point de vomir, il demande la permission de quitter la table. Douniacha, qui aide au service, le soutient tandis qu'il se dirige, d'un pas hésitant, vers la porte. Avant de sortir, il a le temps de voir Sonia qui le suit d'un regard ironique. Il la déteste pour son manque de cœur.

Douniacha couche Youri, le borde et lui fait boire une tisane de sa composition. Elle connaît toutes les herbes qui guérissent. Dès les premières gorgées, il se porte mieux. Maman vient le voir. Il l'assure qu'il n'a plus besoin de rien et elle repart, tranquillisée, vers la fête avec les autres. En se retrouvant seul dans la pénombre, il a l'impression d'une défaite sur toute la ligne : la Russie, privée de tsar, va perdre la guerre, et il s'est couvert de ridicule devant Sonia !

Par bonheur, les jours suivants elle ne fait aucune allusion à l'indisposition de Youri. D'ailleurs, toute la famille semble avoir oublié les fastes et les incidents de la nuit sainte. C'est comme si Pâques n'avait jamais eu lieu. Les gens d'âge ne pensent plus qu'à la politique. Papa vit entouré de journaux qu'il lit de la première à la dernière ligne. Des amis lui téléphonent souvent. Et chaque fois, en raccrochant le récepteur, il a le visage plus grave : après avoir échoué dans une tentative pour prendre le pouvoir, l'exécrable Lénine s'est enfui en Finlande, mais il continue de diriger les bolcheviks à distance ; Kerenski, devenu Premier ministre, se révèle incapable de résister à la pression des « extrémistes de gauche » ; sur le front, l'armée russe recule en désordre ; le tsar et sa famille sont expédiés, comme de vulgaires prisonniers de droit commun, quelque part en Sibérie ; l'empire entier se disloque, sans chef, sans idéal, sans espoir et sans ravitaillement.

Ces nouvelles d'un pays en décomposition parviennent assourdies, déformées dans l'univers clos de Youri. Elles entament certes quelque peu sa tranquillité personnelle, mais, en même temps, il se félicite du relâchement de discipline qui en est la conséquence. Obsédées par leurs soucis, les grandes personnes laissent aux enfants la bride sur le cou. Grâce à la guerre et aux menaces de révolution, les jeux prennent enfin leur vraie place dans la vie de Koussinovo. Ce ne sont que courses en zigzag et bagarres joyeuses avec Bari, parties de croquet entre Youri et Sonia se terminant par de rituelles disputes, pêches aux écrevisses dans l'étang de la propriété. Un jour que l'épuisette, garnie de bouts de viande en guise d'appât, s'est coincée sous une pierre dans la vase du fond, Sonia ordonne à Youri de s'éloigner. Puis elle se déshabille et entre dans l'eau pour dégager le filet. Le front appuyé contre le tronc rugueux d'un saule, Youri entend, de loin, la fillette barboter et rire aux éclats parmi les roseaux du bord. Pour rien au monde il ne tournerait la tête. Malgré lui, il pense à cette femme de la Bible, dont le père Trophime leur a raconté l'histoire et qui a été changée en statue de sel parce que, cédant à la curiosité, elle a osé regarder en arrière. Le temps lui paraissant anormalement long, il se demande soudain si Sonia ne s'amuse pas à le lanterner. Il la juge à la fois impudique et taquine. Enfin elle crie :

— Tu peux venir !

Il retourne sur ses pas. Elle s'est rhabillée, mais sa robe de cotonnade légère, parsemée de fleurs jaunes et vertes, colle contre son corps mouillé. On devine un double renflement, presque imperceptible, à hauteur de sa poitrine. Elle tient une écrevisse dans chaque main.

— On les fera cuire par Agafia, dit-elle gaiement.

En la voyant si fière de sa prise, une colère l'envahit, d'autant plus vive qu'il ne peut s'en expliquer la cause. Devant lui, les deux petits crustacés, à la carapace brunâtre, remuent spasmodiquement les pinces et la queue. D'un geste rageur, il les saisit, en ayant soin de ne pas se faire attraper un doigt, et les rejette à l'eau.

— Qu'est-ce qui te prend ? hurle Sonia, les yeux exorbités.

— Je n'aime pas qu'on fasse souffrir les bêtes ! rétorque-t-il d'un ton péremptoire.

60

C'est une fausse excuse, il le sait, mais il n'en trouve pas d'autre et rend Sonia responsable de sa fureur et de sa confusion.

— Tu es un idiot ! décide-t-elle.

— C'est celle qui le dit qui l'est !

Il n'est pas satisfait de sa réplique, qui a déjà servi cent fois dans leurs querelles. Le don de repartie manque cruellement à son arsenal. Sonia, en revanche, s'arrange toujours pour avoir le dernier mot.

— Après tout, je m'en moque ! conclut-elle. Je n'aime pas les écrevisses ! Il n'y a rien à manger dedans !

Ils rangent leur attirail et rentrent, muets et hargneux, à la maison.

La réconciliation a lieu quelques jours plus tard, au cours d'une expédition dans la forêt. Une tiédeur humide stagne sous les feuillages jaunissants. L'air embaume la mousse, la terre molle et les douces pourritures de l'automne. Sonia a un flair infaillible pour dénicher les champignons. Marchant à pas comptés, le nez au vent, l'œil inspiré, elle s'arrête soudain comme si elle entendait un appel. Puis, enjambant les souches mortes, trouant les fourrés, elle s'accroupit au pied d'un arbre et, d'une main précautionneuse, dégage tantôt un superbe bolet à la coiffe brune, tantôt deux ou trois girolles ouvrant dans l'ombre leurs coupes creuses couleur vieil or. Dépité de ne rien découvrir lui-même, Youri s'apprête à rebrousser chemin lorsqu'elle lui tend son panier plein et déclare avec un sourire victorieux mais tendre :

— Tu diras que c'est notre cueillette à tous les deux !

Ému par tant de générosité, il accepte le cadeau et dit gravement :

— Merci.

Après réflexion, il ajoute, lui donnant, à titre exceptionnel, le diminutif qu'elle affectionne :

— Merci, Soniouchka !

A leur retour, personne ne s'extasie devant la récolte miraculeuse. Une terrible nouvelle, que papa a reçue à l'instant même par téléphone, bouleverse maîtres et domestiques : le général Kornilov, homme d'ordre et de tradition, vient d'être vaincu à la tête de ses troupes, après avoir tenté de renverser Kerenski, et les bolcheviks sont devenus les véritables « arbitres de la situation ». Toute la maisonnée paraît en deuil. Le régisseur Pistounov, sanglé dans sa veste de cuir à nombreuses poches, parle d'une mutinerie parmi le personnel de la tannerie. Selon lui, les femmes sont plus enragées que les hommes dans leurs revendications. Il supplie Alexandre Borissovitch de le suivre sur place pour haranguer les ouvriers.

Papa fronce les sourcils : il n'aime pas se mêler des affaires de la manufacture qui, d'habitude, marche sans accroc. Mais, comme Pistounov insiste, il donne l'ordre d'atteler et se rend à la tannerie, distante de trois verstes.

Il revient le soir, à l'heure du dîner, désabusé et morose.

— Ils sont fous ! dit-il quand tout le monde s'est réuni à table. Ils demandent l'impossible. Une augmentation immédiate ! L'égalité des salaires pour les hommes et les femmes ! Le licenciement de Pistounov ! La création d'un comité d'ouvriers qui dirigerait la tannerie ! Je les ai envoyés promener. Comme dit Pistounov, avec ces gens-là, seule la fermeté est payante. Je crois que cette fois ils ont compris !

Le lendemain, au milieu de la nuit, Youri est réveillé en sursaut par le tintement de la grosse cloche de l'église : le tocsin. Une lueur rouge danse derrière les rideaux de la fenêtre. Le hangar, proche de la maison, flambe, craque et crache au ciel des brindilles incandescentes. Habillé en un tournemain, Youri rejoint ses parents dans la cour. Tout le village, armé de seaux, de pioches et de pelles, participe à l'extinction du feu. Papa dirige les opérations en gesticulant et en criant des ordres que personne n'entend. Maman, enveloppée d'un peignoir de soie rose, serre Youri contre son flanc et soupire :

— Pourquoi ? Pourquoi ? Que nous veulent-ils donc, les misérables ?

Alors seulement Youri comprend que l'incendie a sans doute été allumé dans une intention criminelle. Il se demande si les coupables ne sont pas parmi les sauveteurs qui semblent le plus acharnés à combattre les flammes. Douniacha, qui tient Sonia par la main, essaie de consoler sa maîtresse :

— Ce n'est rien, barynia... Il y aura toujours des jaloux sur terre ! D'ailleurs, ce hangar, Alexandre Borissovitch avait décidé de le démolir... Il ne servait plus qu'à entasser des vieilleries !

Parmi ces vieilleries, il y a les anciens jouets de Youri. Il regrette leur disparition, bien que, jusqu'à cette minute, il ait oublié leur existence. Des silhouettes sataniques s'agitent à contre-jour devant le brasier. Une fumée âcre pique la gorge.

— Et dire que les gens qui ont fait cela m'ont peut-être saluée poliment, il y a quelques jours, à la sortie de la messe de Pâques ! murmure maman. A qui se fier ?

Le toit s'écroule avec un bruit sourd, ce qui déclenche un vomissement d'étincelles. D'instinct, Youri se blottit plus étroitement contre sa mère. Mais c'est pour la rassurer, non pour demander sa protection. Il se sent même bizarrement joyeux. Comme si ces flammes, bondissant en pleine nuit, annonçaient la grande aventure dont il a rêvé parfois pour rompre la vie trop paisible de la maison.

A l'aube, le feu est éteint. Les moujiks déblaient les ruines, dispersent les cendres. Une commission d'enquête arrive de Kline. Les policiers interrogent tous les habitants des villages voisins et s'en vont bredouilles. Selon eux, l'incendie ne peut être qu'accidentel. Après leur départ, papa dit avec une philosophie souriante :

— J'ai l'impression qu'ils ont eu très peur de découvrir les coupables !

IV

Pendant longtemps, Youri s'est figuré que les bolcheviks étaient des individus mal embouchés, qui se promenaient en brandissant des drapeaux rouges et en menaçant de tout casser si les riches ne leur distribuaient pas leur fortune. Malgré les titres des journaux et les commentaires des parents, ces gens demeuraient pour lui des ombres irréelles, vaguement allégoriques, qui s'agitaient dans la lointaine capitale et ne risquaient pas de troubler la paix de Koussinovo. Tôt ou tard, pensait-il, la tempête se calmera d'elle-même, le tsar rentrera dans son palais et maman cessera de s'inquiéter au moindre coup de téléphone. Or, voici qu'un jour du mois d'octobre papa revient d'un voyage à Moscou avec la mine défaite d'un malade. Les nouvelles qu'il rapporte sont désastreuses : Petrograd est tombé aux mains des bolcheviks, qui ont dispersé le parlement ; Kerenski a pris la fuite ; la Garde rouge occupe le palais d'Hiver... A Moscou, on craint que les vaillants élèves officiers fidèles à l'ancien régime ne soient incapables de lutter contre les bandes d'insurgés excitées par Lénine et Trotski. Le 1er novembre, c'est chose faite : la Garde blanche, écrasée par le nombre, rend les armes. Le téléphone sonne sans arrêt. Des amis de papa l'appellent d'un autre monde pour lui dire qu'après les événements de Petrograd et de Moscou il faut s'attendre au pire. Puis soudain, les communications s'interrompent. Les employés du téléphone sont en grève. Peu après, la tannerie, elle aussi, cesse le travail. Une délégation d'ouvriers et d'ouvrières se rend à la maison. Ils ont un air bon enfant qui rassure la famille. Papa les reçoit dans son bureau. Quand ils sont partis, maman demande ce qu'ils voulaient. On vient de passer à table. Papa déplie sa serviette et marmonne d'un ton embarrassé :

— Ils réclamaient de l'argent pour je ne sais quelle organisation sociale...

— Et tu leur en as donné ? s'enquiert maman.

— Il le fallait. Ce n'est pas le moment de les mécontenter. Tu sais ce qui se passe à Moscou !...

Quelques jours plus tard, alors que maman

donne une leçon de vocabulaire français aux enfants, on entend des chocs sourds et réguliers du côté du boqueteau qui jouxte l'étang. Dérangé par ce vacarme insolite, Bari aboie sans discontinuer. Youri et Sonia se précipitent dehors. Maman les rappelle pour les obliger à enfiler un manteau et à chausser des bottillons, car la première neige vient de tomber. Douniacha les rejoint et ils se dirigent tous les quatre vers la pièce d'eau. Constatant qu'elle commence à geler, Youri s'exclame :

— Chic ! Bientôt on va pouvoir patiner !

Le bruit se précise à mesure qu'on approche du petit bois. Trois ouvriers, la cognée en main, abattent des arbres. Papa surgit à son tour, le visage convulsé de colère :

— Que faites-vous là ? s'écrie-t-il. Qui vous a permis... ?

— Le comité ! rétorque un gaillard à la face grêlée, au nez gris et rond comme une patate.

— Quel comité ?

— Notre comité à nous ! C'est lui qui décide maintenant. Les prolétaires ont besoin de bois pour se chauffer. Alors, on le prend là où il se trouve !

Et il continue à manier la hache. Le tilleul centenaire frémit de toutes ses branches nues sous chaque coup. Des copeaux volent autour de la fraîche blessure du tronc. A cet instant, le régisseur Pistounov, accouru de l'usine, saisit l'homme au collet et hurle :

— Arrête, Kolybelev ! C'est défendu !

— Plus rien n'est défendu ! réplique Kolybelev en le repoussant d'une bourrade. Notre tour est venu, à nous, les muets, de parler fort ! Ôte-toi de là, pourceau puant, valet des capitalistes, ou je te défonce le crâne !

Et, comme Pistounov revient à la charge, Kolybelev le menace de sa hache. Pendant une fraction de seconde, ils se défient du regard. Youri, terrorisé, a ramassé une branche dans la neige et la balance au bout de son bras, sans trop savoir quoi en faire.

— Mon Dieu ! Mon Dieu, reprenez-vous ! gémit maman.

— Ça suffit ! dit papa d'une voix blanche. Laisse-les tranquilles, Pistounov ! Abattez quelques arbres, les gars ! Nous en ferons autant. Tout le monde, aujourd'hui, a besoin de se chauffer...

Le régisseur hoche la tête et s'en va, à regret, d'une démarche lourde. Kolybelev et les autres reprennent, sans un mot, leur travail de bûcherons. Maman et Douniacha se signent. Youri jette la branche morte qu'il tenait à la main. Il est à la fois soulagé et déçu. Pourquoi son père n'a-t-il pas châtié l'insolent en lui cravachant la figure ? Tout à coup, il lui semble que le monde entier bascule. Il ne comprend pas pour quelle raison des gens qui, naguère encore, s'adressaient à ses parents avec déférence leur parlent maintenant sans égards. Comme s'ils étaient devenus leurs égaux. Pourtant, ni papa ni maman n'ont changé. Ils sont toujours aussi généreux, aussi justes, aussi aimables envers leurs serviteurs. Peut-être est-ce cela, la révolution ? Le droit d'être impoli aujourd'hui avec ceux devant qui, hier, on faisait des courbettes.

La famille revient en groupe à la maison. Douniacha allume le samovar. Maman, qui grelotte — est-ce de froid ou de peur ? —, invite exceptionnellement sa femme de chambre à prendre le thé avec elle. Il n'est plus question de leçon de français. Ni d'ailleurs de russe. On apprend davantage en sortant de chez soi qu'en lisant des livres.

Le lendemain, Karp découvre Pistounov pendu à un arbre. On lui a arraché sa belle veste de cuir. C'est Douniacha qui raconte l'événement à Youri. La nuit de l'assassinat, Bari a longuement hurlé à la mort. On interdit aux enfants de voir le corps exposé dans son cercueil, à l'église. Il n'y a pas d'enquête.

La police est occupée ailleurs. Ou plutôt, ce sont les ouvriers et les paysans qui maintenant font la police.

A quelque temps de là, Youri en voit arriver une dizaine à Koussinovo. Ils ont un brassard rouge sur la manche et un revolver à la ceinture. Ils ne s'essuient pas les pieds en entrant. L'un d'eux crache sur le parquet, sans doute pour bien montrer qu'il est partout chez lui. C'est l'inévitable Kolybelev qui les conduit. Il porte la veste en cuir de Pistounov, trop étroite pour son torse massif. Douniacha se dépêche de refouler Youri et Sonia dans la chambre d'enfants, avec interdiction d'en sortir.

— Qu'est-ce qu'ils viennent faire ici ? demande Youri.

— Perquisitionner ! dit Douniacha.

— Ça veut dire quoi ?

— Ils cherchent des armes chez les contre-révolutionnaires.

— Et nous sommes des contre-révolutionnaires ?

Douniacha ne répond pas et sort précipitamment de la chambre. Resté seul avec Sonia, Youri se dit qu'il est de son devoir de la rassurer comme son père le fait pour sa mère. Mais Sonia n'est pas inquiète. Elle décrète même :

— Ce qui arrive est toujours plus drôle quand

on ne l'attend pas! Je voudrais que toute la vie soit faite de surprises. Pas toi?

— Il y a de bonnes surprises et il y en a de mauvaises!

— Pour les grandes personnes peut-être. Pour nous, non! Pour nous, quand un jour n'est pas comme la veille, c'est la fête!

Cependant, elle saisit nerveusement la main de Youri lorsque les hommes au brassard rouge font irruption dans la chambre.

— Il faut que nous voyions ici aussi, dit Kolybelev.

— Mais il n'y a rien à voir, camarade! affirme Douniacha. Des vêtements d'enfant, des jouets d'enfant...

Youri s'étonne : pourquoi Douniacha appelle-t-elle « camarade » cet affreux bonhomme? Le connaît-elle personnellement? Éprouve-t-elle pour lui de la sympathie, de l'estime?

— Nous avons des ordres! réplique Kolybe-lev.

— De qui?

— Des autorités!

— De quelles autorités?

— Des nouvelles autorités. De celles qui représentent le peuple!

Les hommes fouillent sans ménagement dans les placards, dans les tiroirs, dans le coffre à jouets. N'ayant rien découvert de suspect, ils consentent enfin à se retirer. Youri et Sonia marchent sur leurs talons. Papa attend dans l'antichambre. Il est blême et sa paupière gauche tremble un peu.

— Alors ? demande-t-il à Kolybelev. Êtes-vous convaincu maintenant ?

— Ce n'est pas si simple ! grogne l'autre. Nous avons sur vous des rapports très précis. Plusieurs personnes vous ont dénoncé comme un ennemi du peuple.

— Quelles personnes ?

— Ça ne vous regarde pas !

Maman, qui se tient derrière papa, murmure :

— N'y aurait-il pas parmi elles une institutrice ? Zoé Ivanovna ?

Kolybelev a un ricanement amer :

— Peut-être que oui, peut-être que non ! Je n'ai pas le droit de révéler le nom de nos camarades informateurs !

Et il sort en roulant des épaules dans sa veste de cuir, suivi de la cohorte piétinante des gardes rouges.

Après leur départ, Douniacha et maman font le tour de la maison : il manque des couverts en argent, une boîte de cigares et deux bouteilles de cognac.

Entre-temps, la pénurie de vivres s'est abattue

sur la campagne. On ne trouve plus à manger chez les paysans, et même les magasins de Kline les mieux approvisionnés d'habitude sont vides. Karp, qui se rend régulièrement en ville, fait la queue pendant des heures devant les boutiques et revient, tête basse, avec quelques pommes de terre gelées et de la viande pas fraîche : les bolcheviks, dit-il, réquisitionnent tout.

Agafia accomplit des prodiges pour nourrir vaille que vaille la famille. A table apparaissent des galettes de farine d'avoine, du pain mélangé de son et de paille, du café de glands torréfiés... Maman se plaint, non pour elle mais pour les enfants, qui ont besoin d'une alimentation abondante et saine. Elle accuse les bolcheviks de ruiner le pays. Cependant, personne parmi les domestiques ne la soutient dans son indignation. Cette apathie étonne Youri. Il lui semble que la plupart des serviteurs, tout en souffrant de la faim, n'en veulent pas aux révolutionnaires. Ils subissent la loi des nouveaux maîtres comme ils ont subi celle des anciens. Avec mollesse, avec résignation. A croire que cette affaire ne les concerne pas. Peut-être même donnent-ils raison aux énergumènes du genre de Kolybelev. Seule Douniacha se permet de dire tout haut que la Russie est tombée sous la botte de brigands. Youri l'admire pour son courage. Maman la traite plus en amie qu'en femme de chambre.

— Un de ces jours, ma mère mangera à table avec nous ! dit Sonia fièrement.

Youri le souhaite, lui aussi, mais n'ose demander cette faveur à ses parents.

Bien entendu, les réjouissances de Noël sont une dérisoire parodie de celles des années précédentes : un sapin rachitique, sans illumination parce qu'on manque de bougies, un maigre repas et aucun cadeau. Mais papa a repris espoir car, selon ses renseignements, de nombreux officiers russes, ayant échappé aux persécutions ordonnées par Lénine et Trotski, ont formé une armée de volontaires pour combattre les bolcheviks. Il cite le nom des généraux Kornilov et Dénikine, de l'ancien généralissime Alexeïev et ne doute pas qu'avec de tels chefs la cause des « blancs » ne soit assurée de la victoire. Il croit aussi qu'après les premiers pourparlers de paix à Brest-Litovsk, qui permettent à l'Allemagne d'occuper une partie de la Russie, un sursaut de patriotisme ralliera toute la population, indignée de ce lâche abandon, sous les drapeaux des héroïques adversaires des soviets. En l'écoutant vanter les chances de succès des troupes libératrices soutenues par les Alliés, Youri regrette de n'avoir même pas douze ans et de ne pouvoir, par conséquent, s'engager parmi les volontaires de Dénikine.

Les fêtes de Pâques se révèlent encore plus tristes que les fêtes de Noël. Bien que l'affluence à l'église soit la même qu'en 1917, Youri constate que les gens du peuple ne saluent pas ses parents avec le respect affectueux de naguère. Tout à coup, il ne se sent plus en famille parmi la foule des moujiks. Certains, croit-il, le regardent de travers. Au moment d'échanger le triple baiser pascal avec Sonia, il se demande même si elle n'est pas, de par sa naissance et sa condition, du côté des « autres », c'est-à-dire de ceux qui n'aiment pas la façon de vivre des Samoïlov. Mais elle lui rend ses embrassements avec tant de ferveur qu'il se rassure. Il a en elle une véritable alliée. Bien entendu, il a fallu, cette année-là, se passer de koulitchs et de paskhas, et les habituelles montagnes d'œufs aux riches enluminures ont été remplacées par une douzaine d'œufs barbouillés avec du jus de betterave.

Quelques semaines plus tard, une information chuchotée de bouche à oreille, puis confirmée par les journaux, stupéfie toute la maisonnée : le tsar et la famille impériale ont été fusillés à Iekaterinbourg, en Sibérie, où les bolcheviks les retenaient prisonniers. Maman s'alite, épuisée par la douleur, le dégoût et les larmes. Ensuite, pendant deux jours, elle s'habille de robes noires. Elle veut faire célébrer par le père Trophime une messe pour le repos de l'âme de l'infortuné Nicolas II et des autres victimes du massacre. Pour ne pas irriter les nouvelles autorités de la région, le prêtre la dissuade de mettre son projet à exécution. Elle se contente d'emmener Youri et Sonia à l'église pour brûler des cierges et prier Dieu d'offrir le paradis au tsar martyr et de punir les bourreaux qui ensanglantent la Russie. L'église est ouverte, mais vide. Sans doute personne n'ose-t-il plus y aller. Le père Trophime ne se montre même pas. Des miliciens, accroupis devant la porte du sanctuaire, jouent aux osselets en mâchant des graines de tournesol et en crachant les écales à la ronde. Quand maman et les enfants, leurs oraisons terminées, passent devant eux pour regagner leur calèche, un gaillard moustachu, à la casquette marquée de l'étoile rouge, éclate de rire et crie :

— J'espère que vous avez prié pour la victoire de l'armée du peuple !

Le lendemain, Kolybelev et ses acolytes se présentent de nouveau à Koussinovo. Assis à côté de Sonia sur la balançoire, Youri interrompt l'oscillation de la planchette pour les voir défiler dans le jardin. Ils ont un air résolu et insolent.

Certains portent maintenant des bandes de cartouches de mitrailleuse en travers de la poitrine. Kolybelev tient ostensiblement un papier à la main. Bari grogne un peu au passage des intrus, mais sans aboyer. Youri l'a enchaîné à sa niche pour qu'il ne le gêne pas pendant qu'il s'amuse avec Sonia sur l'escarpolette.

Quand les hommes ont gravi le perron, il veut les rejoindre pour savoir ce qu'ils sont venus faire. Mais Douniacha accourt aussitôt et le supplie de rester sur place. Elle-même retourne vite dans la maison. Youri saute à bas de la balançoire. Une angoisse diffuse lui étreint la poitrine. Sonia tente de le rassurer en affirmant :

— Ce n'est rien... Encore une perquisition, sans doute...

Dix minutes plus tard, Kolybelev et ses hommes reparaissent. Ils encadrent papa, qui marche, très pâle, en réglant son pas sur le leur. Youri se rue vers lui. Un garde rouge l'écarte avec rudesse. Papa a un sourire triste et dit, sans s'arrêter :

— Ne t'inquiète pas... Je reviendrai bientôt...

Douniacha, qui suivait le groupe, prend la main de Youri et la serre fortement, comme pour l'empêcher de courir derrière son père. Lorsque les bolcheviks ont disparu au tournant de l'allée, elle murmure :

— Les canailles! Ils ont accusé Alexandre Borissovitch d'intelligence avec les chefs de l'armée blanche!... Nous avons eu beau leur jurer que c'était faux, que ton père ne se mêlait pas de politique, ils n'ont rien voulu entendre!... Alors voilà, ils l'ont pris comme otage. .

— Comme otage? balbutie Youri. C'est quoi, un otage?

— Je ne sais pas au juste. En tout cas, ils vont le garder quelque temps, l'interroger encore...

— Et le fusiller, comme... comme le tsar?

— Non, non... Je ne pense pas... Je connais Kolybelev... Je vais lui parler...

Sans en écouter davantage, Youri se précipite vers la maison pour rejoindre sa mère. Elle s'est enfermée dans sa chambre. Il l'entend à travers la porte sangloter et bredouiller des paroles incohérentes. Il appelle :

— Maman! Maman! C'est moi! Ouvre!...

Pas de réponse.

— Douniacha m'a raconté, reprend-il. Elle dit qu'elle connaît Kolybelev, qu'elle va tout arranger...

Enfin une voix lui parvient, usée par les larmes :

— Oui, peut-être... J'ai peur d'espérer... Que ferions-nous sans Douniacha?

Trois jours de suite, Douniacha se rend à Kline pour plaider la cause d'Alexandre Borissovitch. Le troisième jour, elle revient victorieuse, dans la calèche conduite par Karp. Papa est assis à côté d'elle. Toute la famille fête le retour de « l'otage » devant un gâteau de pommes de terre sucré avec de la mélasse. Youri n'a jamais rien mangé d'aussi bon. Maman pleure de joie entre deux coups de fourchette. Elle a donné une de ses bagues en cadeau à Douniacha pour la remercier de son dévouement et l'a invitée à la table des maîtres. Désormais, il n'y a plus de femme de chambre dans la maison. La famille s'est agrandie et tout le monde en est heureux. Cependant, à la fin du repas, Douniacha révèle que la libération d'Alexandre Borissovitch ne met pas fin aux soupçons des autorités à son égard.

— Alexandre Borissovitch ne sera vraiment en sécurité que s'il s'éloigne d'ici, du moins provisoirement, dit-elle. J'ai pu obtenir pour lui un sauf-conduit qui lui permettrait de se rendre à Kharkov.

— Comment cela ? s'écrie maman. Il ne peut partir sans nous !

— Nous en avons parlé, Alexandre Borissovitch et moi. Il est d'accord...

— Oui, ma chérie, dit papa. Il le faut, pour notre sauvegarde à tous. Je vais filer à Kharkov, puisque ces brutes, à qui j'ai largement graissé la patte, ont consenti à signer les papiers indispensables. Là, j'attendrai votre arrivée. Car, bien entendu, vous me suivrez à quelques jours d'intervalle. Le temps d'obtenir à votre tour les sauf-conduits nécessaires...

— Et si nous ne les obtenons pas ? gémit maman.

— J'en fais mon affaire, décrète Douniacha. Le commissaire du peuple, qui décide de tout à Kline, me l'a formellement promis. J'ai maintenant mes petites et mes grandes entrées chez les camarades bolcheviks. Ils me croient des leurs !

— Quand comptes-tu partir ? demande maman en se tournant vers papa avec un air d'égarement et de souffrance.

— Après-demain, dit-il. Mon laissez-passer expire à cette date.

— Déjà ?

— Le plus tôt sera le mieux. Une fois à Kharkov, je te ferai connaître mon adresse.

— Je ne vivrai pas en attendant de tes nouvelles. Es-tu sûre, Douniacha, qu'on nous permettra, à nous aussi... ?

— Absolument sûre, dit Douniacha. La séparation sera de courte durée, je vous le promets.

Dès maintenant, vous pouvez commencer à faire vos bagages...

— Et toi, tu resterais ici ? s'étonne Youri.

Douniacha éclate de rire :

— Ah ! non alors ! Plutôt crever ! Je partirai avec vous, si vous voulez bien de moi !

— Et comment, qu'on veut de toi ! hurle Youri.

Et, sautant de sa chaise, il embrasse avec emportement Douniacha, puis Sonia. Il lui semble soudain que la famille se prépare à un extraordinaire voyage d'agrément. Seule maman demeure soucieuse.

— Tout quitter ainsi, est-ce possible ? soupire-t-elle. Les murs, les meubles, les souvenirs, les amis...

Comme elle prononce ces mots, la porte de la salle à manger s'ouvre sous une rude poussée. Bari paraît sur le seuil. Jamais encore il n'est entré dans la maison. Quelqu'un l'a-t-il détaché ? Est-il parvenu à rompre sa chaîne ? Quel obscur instinct l'a prévenu de l'épreuve qui l'attendait ? Sa lourde tête, marquée de blanc et de roux, se balance de droite et de gauche comme s'il voulait poser une question aux humains. Ses gros yeux aux paupières flasques sont noyés de tristesse, de résignation, de reproche.

— Et lui, nous l'emmènerons ? demande Youri d'une voix étranglée.

— Tu te doutes bien que ce serait impossible, Youri ! dit papa. Nous le confierons à nos voisins Goussev qui prendront soin de lui. Il ne sera pas malheureux, je te le garantis ! Je l'aime autant que toi, notre brave vieux Bari !

Youri s'agenouille devant le chien, enlace son cou robuste, respire la forte et chaude odeur de son pelage. Un chagrin qu'il n'a pas prévu lui jette les larmes aux yeux. Il se sent coupable, et cependant il sait que ses parents ont raison, que toute autre solution serait absurde, que le sort d'un animal ne compte pas quand le bonheur, la vie de ses maîtres sont en jeu. Pleurant et hoquetant, il colle sa bouche contre l'oreille pendante du saint-bernard et murmure :

— Pardon, pardon !...

Bari lui lèche la joue d'un grand coup de langue. Aurait-il tout compris dans son silence de chien ? Les bêtes ignorent la rancune. Papa demande à Karp de ramener Bari dans sa niche et de lui servir une bonne soupe avec tous les restes qu'on pourra trouver à la cuisine.

V

Deux semaines déjà que papa est parti, et Douniacha n'a toujours pas obtenu les papiers et les billets qui permettraient à la famille de le rejoindre. Cependant elle ne désespère pas de persuader les autorités bolcheviques de la nécessité, pour les Samoïlov, de se rendre dans le Sud en raison de leur mauvais état de santé. Les certificats de complaisance du docteur Pliaskine et de forts pots-de-vin distribués dans les bureaux finiront, d'après elle, par vaincre les dernières réticences. Pour accélérer la conclusion de l'affaire, elle se rend quotidiennement à Kline et y rencontre des gens importants.

Maman est d'autant plus angoissée qu'elle est sans nouvelles de papa depuis qu'il a quitté la maison. Le service du courrier ayant été interrompu entre-temps, elle se demande comment elle pourra entrer en rapport avec lui. Dix fois par jour, elle gémit :

— C'est absurde ! Je n'aurais pas dû le laisser partir !

— Et il serait aujourd'hui dans un cachot de la Tchéka[1] ! répond Douniacha. Ou peut-être même fusillé comme otage !

Enfin, un matin, alors que maman fait faire distraitement une dictée aux enfants, Douniacha pénètre en coup de vent dans la chambre et annonce qu'un inconnu, porteur d'un message, voudrait voir Marie Vassilievna de la part de son époux. Elle introduit le visiteur. C'est un petit homme dont la tête pointue évoque celle d'un brochet et dont les yeux vifs papillotent. Il porte un drôle d'uniforme défraîchi comme on en voit aux employés des trains, avec des tresses d'argent et des aiguillettes à l'épaule. Sur sa tête, une casquette à étoile rouge qu'il n'ôte même pas en présence d'une dame. Sans un mot, il tend une lettre à maman. Elle la décachette, la lit rapidement et pousse un cri de joie :

— Il est arrivé à Kharkov ! Il va bien ! Il nous attend !

Youri se jette au cou de sa mère. Elle pleure et

1. Police politique nouvellement créée en Russie.

se signe, le regard levé vers l'icône. L'homme explique qu'il se nomme Zapitaïev, qu'il était « chef de wagon » sur la ligne Moscou-Kharkov et que, la poste ne fonctionnant plus, Alexandre Borissovitch Samoïlov l'a chargé de porter cette lettre à sa femme. En toute innocence, maman lui demande de faire parvenir à son mari une réponse qu'elle va rédiger sur-le-champ. Mais Zapitaïev refuse. L'air gourmé, il annonce que, depuis quelques jours, il ne travaille plus dans l'administration des chemins de fer, vu qu'il a été nommé délégué du personnel auprès d'un certain Comité des transports, qui siège à Tver. Maman se désole de ce contretemps, mais Douniacha en paraît ravie. Elle prie Zapitaïev de s'asseoir, lui apporte un petit verre de liqueur de cerise (c'est la dernière bouteille) et parle à l'oreille de maman avec volubilité.

— Eh bien, va ! soupire maman. Prends ce qu'il faut. Tu sais où ça se trouve...

Douniacha s'étant éclipsée, maman interroge Zapitaïev. Quand a-t-il vu pour la dernière fois Alexandre Borissovitch ? Celui-ci avait-il l'air en bonne santé ?... Zapitaïev répond par bribes. Manifestement il n'a fait qu'apercevoir papa sur le quai de la gare et toucher un pourboire contre la promesse d'un prompt acheminement de la lettre. Déjà Douniacha est de retour. Elle tend une grosse enveloppe à Zapitaïev. Il la palpe, la soupèse. Sans doute est-elle pleine de roubles-assignats.

— Pour vous, murmure maman, si vous nous aidez...

Douniacha expose les données du problème, cite les « camarades » qu'elle a déjà vus et demande à Zapitaïev, puisqu'il est désormais proche des dirigeants locaux, d'user de son influence pour décrocher les autorisations néces-saires. Elle discourt avec calme et assurance. Auprès d'elle, maman a l'air d'une petite fille incapable de se défendre par elle-même. Zapi-taïev retire sa casquette, avale le fond de son verre et clappe de la langue.

— Si vous réussissez, je vous promets que nous doublerons la somme ! conclut Douniacha avec un regard d'intelligence à maman.

— Oui, oui, balbutie maman. Faites-le, je vous en prie !

Le regard de Zapitaïev s'aiguise. Il se gratte la nuque avec ses ongles pour activer la réflexion.

— Vous comprenez, dit-il, les sauf-conduits, ce n'est pas mon affaire. Je suis dans les trans-ports, pas dans la police et la politique..., enfin toutes ces sortes d'activités supérieures... Évi-demment, je peux intervenir, conseiller, me porter garant...

— C'est ça ! s'écrie Douniacha. Portez-vous garant ! On ne vous demande pas autre chose !

— En tout cas, quand vous aurez reçu les papiers officiels, je vous réserverai des billets. En première classe même, peut-être. Mais seulement jusqu'à Moscou. Après, à la grâce de Dieu !...

Cette exclamation d'une piété suspecte lui ayant échappé, il se reprend aussitôt :

— Après, vous vous débrouillerez vous-mêmes !... Mais ça ira... Avec les camarades, quand on est en règle, tout marche comme sur des roulettes... Nous sommes pour l'ordre, pour la justice...

Douniacha lui verse un second verre de liqueur et, après l'avoir bu, il se retire en promettant qu'on aura bientôt de ses nouvelles. Quand il est parti, maman embrasse Youri et Sonia avec fougue, et Douniacha applaudit en affirmant :

— Cette fois, je sens que nous sommes près du but !

Elle conseille à maman de procéder immédiatement à l'inventaire des meubles, afin de pouvoir vérifier, au retour du voyage, si rien n'a été détérioré ou volé. Car, bien entendu, on reviendra à Koussinovo. Dans quelques semaines, dans quelques mois au plus... Les deux femmes font le tour de la maison. Youri et Sonia les suivent.

Devant chaque objet, maman s'arrête, soupire et donne une indication à Douniacha, qui prend des notes sur un cahier à la couverture de toile cirée noire :

— Ce petit secrétaire, comme je l'aimais !... Et cette psyché !... N'oublie pas qu'il y a des objets de toilette dans les tiroirs... Ah ! qu'il est donc pénible de se séparer de tout cela !...

— Pour un temps, barynia, dit Douniacha. Rien n'est perdu, vous verrez...

Son crayon court vite sur le papier. Elle sait lire et écrire, ce qui est rare chez une personne de sa condition. Vraiment, elle mérite mieux que son sort de domestique, même privilégiée, pense Youri. Depuis un moment, il s'étonne de ne pas entendre Bari aboyer et tirer sur sa chaîne. Il descend dans la cour. La niche est vide. Le cœur serré, il remonte dans la chambre où maman et Douniacha continuent de dresser leur liste.

— Où est Bari ? demande-t-il.

— Les Goussev sont venus le chercher hier, après dîner, pendant que tu dormais, dit maman d'une voix coupable. Il les a suivis très gentiment...

— Pourquoi ne m'as-tu pas prévenu ?

— Pour t'éviter une scène pénible, mon chéri.

— Je ne le verrai plus ?

— Tu le retrouveras à notre retour.

Cette promesse console quelque peu Youri et il redescend, tête basse, dans le jardin. Sonia l'accompagne. Ensemble, ils marchent sur l'allée comme parmi les tombes d'un cimetière. Chaque arbre, chaque buisson est un souvenir à la fois banal et irremplaçable. Youri s'arrête devant la balançoire : c'est d'ici qu'il a vu son père, pris en otage, partir au milieu d'un groupe d'hommes en armes. Mais ici également qu'il a ri avec Sonia en se projetant, à coups de reins, d'un côté du ciel à l'autre. Joie et tristesse mêlent leurs flots dans sa tête. Est-il heureux de partir ou malheureux d'abandonner sa maison, ses jouets, son chien ? Il ne le sait plus. Imitant Douniacha, Sonia affirme :

— Ce n'est pas grave ! C'est comme si on s'en allait en vacances !... Et, quand on revient, tout semble meilleur !...

— Oui, oui, bredouille Youri.

Et le monde se dilue devant ses yeux noyés de larmes.

Quelques jours après, Zapitaïev reparaît et s'isole avec maman et Douniacha dans le bureau. Tapis dans leur chambre, Youri et Sonia guettent avec impatience le résultat de l'entrevue. Soudain la porte s'ouvre sur une apothéose. Dès le seuil, maman s'exclame :

— Nous avons les papiers ! Nous pourrons prendre le train à la fin de la semaine !

C'est Douniacha qui se charge de prévenir les domestiques de leur licenciement pour cause de départ. En vérité, ils s'y attendaient depuis longtemps. Youri surveille la scène par la porte du salon, restée entrebâillée. Maman et Douniacha sont assises derrière la grande table de marqueterie. Les autres sont debout, en rang, devant elles. Ils ont des visages impassibles. Ne regrettent-ils pas de perdre leurs maîtres et de se retrouver sans emploi ? Ont-ils oublié la bonne existence qu'on menait, tous ensemble, à la maison ? Selon les instructions de maman, seul Karp restera sur place comme gardien. Douniacha a préparé le compte de chacun. Elle paie le personnel, sous le regard las de maman. La main leste, elle fait claquer légèrement les billets entre ses doigts avant de les tendre aux bénéficiaires. C'est elle et non maman que les domestiques remercient. En les observant plus attentivement, Youri se demande si ce qu'il prenait chez eux pour de l'indifférence n'est pas de l'hostilité. D'Agafia à Igor, en passant par Karp, il les reconnaît à peine. Des étrangers, presque des ennemis. Subitement, ils rejoignent l'innombrable tribu des mécontents de la vie. Il n'y a que le vieux Iermolaï qui renifle de chagrin. Il sollicite de la barynia l'honneur de recevoir en cadeau une de ces lampes à pétrole dont il a pris soin pendant tant d'années. Et, comme maman lui dit : « Tu choisiras celle que tu voudras », il lui baise les mains en pleurant. « Ça, c'est un vrai serviteur ! » pense Youri.

Cette question étant réglée, maman et Douniacha s'occupent des bagages. Zapitaïev a recommandé de n'emporter que le strict nécessaire. Mais comment choisir ? Qu'il s'agisse de la garde-robe de maman ou de celle de Youri, c'est Douniacha qui décide. Puis, toutes deux s'emploient à coudre des roubles Kerenski et des bijoux dans les doublures des vêtements. Youri et Sonia sont prévenus que leurs habits seront lestés d'argent et qu'ils ne devront s'en séparer sous aucun prétexte. Youri est très excité à l'idée de transporter un trésor sous le nez des bolcheviks. Ces préparatifs secrets ont, lui semble-t-il, un merveilleux parfum d'aventure. Après quelques semaines d'hésitation, il a hâte de se lancer dans les péripéties d'une expédition aussi problématique. Les heures passent trop lentement à son gré.

Enfin, le jour du départ arrive. Maman, Douniacha, Youri et Sonia sont réunis sur le perron en costumes de voyage. Karp charge les valises à l'arrière de la grosse berline, qu'on a ressortie pour l'occasion. Pendant qu'il les arrime à l'aide de cordes et de courroies, Kolybelev surgit avec son escorte habituelle. Il vient annoncer à la famille Samoïlov que Koussinovo est réquisitionné pour y installer un lazaret. Maman, qui porte un chapeau à plume de paon, relève sa voilette et proteste :

— Ce n'est pas possible ! Nous laissons ici toutes nos affaires !...

— Personne n'y touchera, dit Kolybelev. D'ailleurs, vous n'en avez plus besoin puisque vous partez !

— Nous partons, mais nous allons revenir, observe Douniacha.

— Croyez-vous ?

— Bien sûr ! Où logerons-nous si notre maison est occupée ? reprend maman.

— On verra le moment venu, ricane Kolybelev. Au besoin, on vous trouvera un coin tranquille. Nous ne sommes pas des tigres !

Pendant ce temps, les hommes de Kolybelev sont entrés dans la maison. Ils en ressortent avec des ballots à la main. Sans doute ont-ils raflé quelques objets au passage. L'un d'eux boit à longs traits au goulot d'une petite bouteille. C'est le flacon d'eau de Cologne de maman ; Youri a envie de pouffer de rire. Mais maman fait une moue de dégoût et rabat sa voilette. Kolybelev lui tend un papier couvert de cachets et de signatures.

— Qu'est-ce que c'est ? demande maman.

— L'ordre de réquisition, dit Kolybelev. Nous prendrons possession des lieux demain matin.

— Mon Dieu ! gémit maman. C'est la fin du monde !

Douniacha saisit le document, le lit d'un bref regard et le range dans son sac. Appuyée d'une main au mur, comme si elle allait défaillir, maman dit dans un souffle :

— Je suis heureuse que mon mari n'ait pas assisté à cela !

— Où est-il, votre mari ? questionne Kolybelev avec une grimace sournoise.

C'est Douniacha qui répond du tac au tac :

— Comment voulez-vous que nous le sachions, camarade, puisque la poste ne marche plus ? Si Alexandre Borissovitch a quitté Koussinovo, c'est qu'il a reçu l'autorisation de vos supérieurs. Adressez-vous à eux pour des informations supplémentaires !

— Ne faites pas trop la fière, camarade ! rétorque Kolybelev. En cas de nécessité, nous saurons retrouver le sieur Samoïlov. N'importe quand et n'importe où !

Il crache par terre, tourne les talons et s'éloigne, suivi de ses sbires. En passant, ils fauchent, à coups de cravache, les fleurs des plates-bandes qui bordent la pelouse. Maman éclate en sanglots. Douniacha tire de son sac un flacon de sels et le présente aux narines de sa maîtresse. Il fait doux. Un merle siffle dans les buissons, des chardonnerets se poursuivent de branche en branche.

— Il faut vraiment partir, barynia, dit Douniacha. Sinon, nous allons manquer le train !

Et elle presse maman de monter en voiture. Puis elle s'installe à son côté, sur la banquette. Youri et Sonia s'asseyent, cuisse contre cuisse, en face d'elles. Personne ne parle. On dirait que la famille se rend à un enterrement !

Le trajet jusqu'à Kline est couvert à vive allure. Zapitaïev attend les passagers à l'entrée de la gare. Selon sa promesse, il a pu obtenir des places dans un wagon de première classe.

— Vous voyagerez comme des princes, dit-il. Profitez-en ! Ça ne durera pas !

Le train omnibus, venant de Petrograd, arrive avec une heure de retard. Il est pris d'assaut par la foule qui piétine sur le quai, au milieu des coups de sifflet et des chuintements de vapeur. Quelques minutes d'arrêt. Zapitaïev aide Douniacha à hisser les valises. Grâce à son intervention, tout le compartiment a été réservé à la famille Samoïlov. Les sièges sont capitonnés. Mais, comme maman craint qu'ils ne soient infestés de punaises ou même de microbes, elle

96

prie Douniacha de les recouvrir avec des draps propres, spécialement apportés de la maison. C'est seulement lorsqu'ils sont enfin houssés de toile blanche qu'elle accepte de s'asseoir dessus avec les enfants.

A Moscou, on s'arrête chez des amis de papa, les Basmanov, un couple âgé qui habite boulevard Srétenski, en plein cœur de la cité. Ils n'ont pas d'enfants, plus de domestiques, et semblent atterrés par les événements. Douniacha doit carillonner dix fois avant qu'ils ne consentent à entrebâiller la porte d'entrée. Pourtant ils ont été prévenus de l'arrivée de leurs hôtes par Zapitaïev qui, en raison de ses fonctions, a la possibilité d'envoyer des télégrammes. Après les embrassades d'usage, les grandes personnes se lancent dans des commentaires affligés sur la situation politique du pays et les restrictions alimentaires, dont on souffre plus en ville qu'à la campagne. Encore, à plusieurs reprises, Mme Basmanov fait-elle signe à maman de baisser la voix par peur d'être entendue des voisins. M. Basmanov parle des barricades, des combats de rue, de l'héroïsme des jeunes junkers, face aux hordes rouges :

— On se mitraillait jusque sous nos fenêtres !

97

Au milieu de ces bavardages et de ces soupirs, Youri s'ennuie. Heureusement qu'on est censé repartir dans quarante-huit heures! Zapitaïev ayant pris les dispositions nécessaires auprès de ses collègues moscovites, Douniacha envisage de se mettre en campagne dès le lendemain matin, afin d'obtenir visas et billets pour la suite du voyage.

Les Basmanov ont dressé quatre lits de camp dans leur salon. Maman, Douniacha et les enfants y passent la nuit, incommodés par une chaleur étouffante et par le bruit du boulevard Srétenski. Habitué au silence provincial de Koussinovo, Youri tressaille à chaque grondement de moteur, à chaque appel de trompe d'auto. D'ailleurs Mme Basmanov a recommandé de n'ouvrir ni les croisées ni les volets, par crainte que quelque soldat ivre ne tire des coups de feu dans la direction des fenêtres.

A l'aube, ayant avalé une tasse de thé pâle et grignoté un biscuit, Douniacha se rend en ville pour les ultimes démarches. Toute la journée, maman guette son retour avec anxiété. En attendant, elle étale des réussites dont aucune ne se termine selon son vœu. Cependant, Douniacha revient le soir, mission accomplie. Les papiers sont en règle. Elle a les billets dans son sac. A l'entendre, demain, 17 septembre 1918, on

pourra prendre le train pour Kharkov sans diffi-
culté. Elle a même trouvé un cocher de fiacre
pour transporter passagers et bagages jusqu'à la
gare. Payé d'avance, il les attendra à l'heure dite
devant la porte de la maison.

— Vous avez là une vraie perle ! dit M. Basmanov en regardant Douniacha avec admiration.

— Oui, murmure maman. Je ne sais ce que
nous ferions sans elle.

Youri devine que cette phrase reviendra souvent dans la bouche de sa mère.

Cette nuit-là, il dort mieux, comme si toute la
ville se taisait pour lui permettre de prendre du
repos.

Au réveil, maman a un reste d'inquiétude. Et
si le cocher de fiacre ne tenait pas parole ?

Or, il se trouve là, fidèle au poste, et même en
avance. Mais il n'est pas question de monter en
voiture sans s'être réunis, selon l'usage, pour la
prière muette du départ. On s'assied avec les
Basmanov dans le salon, sous l'icône, on se
recueille, on appelle la bénédiction divine sur les
voyageurs. Puis on se remet debout, on se signe,
on s'embrasse, et en route !

Une fois casé dans le fiacre, Youri ouvre des
yeux éblouis sur la grande ville, dont les maisons,
les églises, les palais, les arbres défilent au pas de

la haridelle qui tire tant bien que mal son lourd chargement. Moscou n'en finit pas d'étaler ses merveilles et sa misère. Comment peut-on vivre parmi ce grouillement humain ? Y a-t-il encore quelque part des prés, des bois, des ruisseaux, la solitude, le silence ?

Soudain, c'est la gare de Koursk-Nijni-Novgorod. On met pied à terre. Chacun empoigne une valise et un balluchon. Et la famille pénètre en force dans l'épaisseur d'une cohue bigarrée et bruyante.

— Surtout ne nous séparons pas ! crie maman, dont le chapeau à plume oscille sous la poussée de la foule.

— Suivez-moi ! ordonne Douniacha qui a pris la tête du cortège.

Porté par le flot, Youri joue des coudes pour se frayer un chemin. Cette lutte contre une multitude aveugle et sourde lui donne comme un avant-goût de combats plus glorieux. Il se prend pour un volontaire de Dénikine prêt à en découdre avec les bolcheviks. Des barrières de bois, surmontées de pancartes, canalisent le courant. Au passage d'un portillon, des factionnaires à brassard rouge vérifient les passeports, les sauf-conduits, les billets. Certains voyageurs sont refoulés sans ménagement. Ils s'en vont, traînant les pieds, entre deux soldats. D'autres discutent si âprement qu'un commissaire intervient pour régler leur sort.

Les documents établis à la demande de Zapitaïev doivent être irréprochables, car Douniacha, maman, Sonia et Youri sont admis sur le quai sans discussion. Là aussi, s'étale un magma de têtes, de haillons, de ballots, de paniers, de valises. Un convoi est à l'arrêt, toutes portes closes. Mais il n'est pas composé des habituelles voitures de voyageurs. Ni premières, ni secondes, ni troisièmes. Rien que des wagons à bestiaux.

— Qu'est-ce que c'est ? balbutie maman.

— Notre train, barynia, répond Douniacha d'un ton furtif.

— En êtes-vous sûre ?

— Tout à fait. Estimez-vous encore heureuse que nous ayons le droit de monter dedans !

— Ce... ce n'est pas civilisé ! pleurniche Sonia.

Cette fois, Youri comprend la signification de ce mot qu'elle emploie à tout bout de champ. On va voyager à la dure ! Formidable surprise qui corse l'histoire ! Un coup de sifflet retentit. Des employés de la gare ouvrent les portières coulissantes des wagons. Et aussitôt, c'est la ruée. Soulevé, étouffé, repoussé en arrière, projeté en avant, Youri se retrouve soudain au centre d'une vaste caisse en bois au sol jonché de paille. Maman, Douniacha, Sonia le rejoignent, hagardes, échevelées, les vêtements défaits. On a perdu une valise dans la bagarre. Tant pis ! C'est déjà bien beau qu'on soit parvenu à se caser dans cette prison de planches. En un clin d'œil, le wagon est bondé. Des pas retentissent au-dessus des têtes. Sans doute des voyageurs, n'ayant pu trouver de place à l'intérieur, se sont-ils installés sur le toit. On étouffe dans l'odeur des pieds, de la sueur et de l'urine.

— Ce n'est pas supportable ! dit maman. Je ne partirai pas dans ces conditions ! Je préfère que nous descendions !

Douniacha lui saisit le poignet et, la dominant du regard, prononce d'une voix ferme, presque méchante :

— Restez, barynia. Il le faut. Quoi qu'il arrive !

Maman, vaincue, baisse le front. Un bébé braille dans le fond du wagon. Quelqu'un hurle :

— Avdotia ! Où as-tu fourré le pot de chambre ?

Et tout cela est si aberrant que Youri est partagé entre sa compassion pour maman, qui supporte mal les situations insolites, et une allégresse impatiente, fourmillante devant le saut dans l'inconnu.

La cloche des départs sonne. Une fois. Deux fois. Trois fois. Le wagon frémit sous une formidable secousse. Les tampons s'entrechoquent dans un claquement de métal. La vieille carcasse de bois craque de toutes ses jointures. Et le train s'ébranle avec une sinistre lenteur.

VI

Le convoi se traîne, depuis Moscou, à l'allure d'un homme qui marche. Très vite, les occupants du wagon ont pris leurs habitudes et marqué leur territoire. Douniacha a délimité celui de la famille en dressant dans un coin, tout contre la cloison du fond, un frêle rempart de valises, de balluchons et de paquets. On se tasse là, à quatre, dans la pénombre chaude, le martèlement monotone des roues et la puanteur d'une humanité compressée et sordide. Les échanges de propos, d'un groupe à l'autre, sont rares. Sans doute la plupart des voyageurs, qui sont de condition modeste, ont-ils reconnu dans leurs voisins des bourgeois. Bien que Douniacha ait recommandé à sa maîtresse de s'habiller le plus simplement possible, maman n'a vraiment pas l'air d'une femme du peuple avec ce grand chapeau à plume de paon sur la tête et, devant le visage, cette voilette à pois. Elle a également tenu à ce que Youri revête, pour le voyage, le costume marin qu'elle lui a récemment acheté à Tver. Il est conscient de détonner, avec son col bleu, son béret à rubans et son petit sifflet d'argent en sautoir, parmi la foule de moujiks, d'ouvriers et de filles de ferme qui l'entoure. De temps à autre, il croit entendre, à travers le vacarme du train, une réflexion désobligeante sur la « racaille blanche » ou sur les riches « buveurs de sang ». Il se rappelle alors que, l'année précédente, le docteur Pliaskine lui a recommandé de boire du sang de bœuf pour combattre l'anémie. N'est-ce pas cela que ces inconnus lui reprochent ? Pourtant, il a toujours avalé ce liquide tiède avec une extrême répugnance.

Il y a un baquet au centre du wagon pour la satisfaction des besoins naturels. Mais peu de gens s'en servent. Ils préfèrent attendre une halte pour aller se soulager dans la nature. C'est Douniacha qui détient la petite réserve de papier hygiénique. Elle le distribue à Youri et à Sonia avec parcimonie. Chaque fois, il faut discuter avec elle pour obtenir la quantité nécessaire. Bientôt d'ailleurs, il n'en reste plus. Force est de se rabattre sur les journaux qu'on achète dans les gares. Les pages en sont rugueuses et leur encre déteint. Après les avoir lues et commentées, Douniacha les découpe en carrés égaux. Cela l'occupe pendant les longues heures de train. Elle affirme que la presse bolchevique ne mérite pas un autre usage. Mais, bien sûr, elle le dit à voix basse, à cause des voisins dont il vaut mieux se méfier.

Tout à coup, le convoi s'arrête en rase campagne. Les passagers sautent à terre et se dispersent. Il faut se hâter. Maman, Douniacha, Sonia, Youri, chacun choisit son buisson. Déjà la locomotive siffle. Vite on se reboutonne, on se rajuste, on se précipite vers le train : « Pourvu qu'il ne parte pas sans nous ! » Youri et Sonia rient aux éclats de cette course éperdue à travers les herbes. C'est plus amusant encore que de jouer à chat perché dans le jardin de Koussinovo ! On se hisse tant bien que mal dans le wagon, on se pelotonne dans son réduit et on attend, le cœur battant à un rythme accéléré, que le convoi redémarre.

D'autres moments importants de la journée sont ceux des repas improvisés. A midi et à six heures, la locomotive stoppe en soufflant. Immédiatement, les voitures se vident de leur chargement humain. Un long serpent de voyageurs s'agite sur le ballast, dans un désordre de paniers et de casseroles. Certains se contentent de manger froid. D'autres allument un réchaud et font cuire leurs aliments dans une gamelle posée sur deux briques, entre les rails. Douniacha est experte en cet exercice. Elle a emporté une grande quantité de provisions. Le chauffeur-mécanicien passe au milieu du gigantesque pique-nique, hume l'odeur des victuailles et fait des commentaires goguenards. Assis par terre au bord de la voie, les convives lui répondent par des quolibets. Comme c'est ce gaillard à la cotte grise et au visage sali de charbon qui règle la vie des passagers, Douniacha ne manque jamais de lui offrir un morceau. Malheureusement, le fond de son menu ne varie guère : sardines et macaronis. Pourtant Youri ne se plaint pas. Il lui semble que cette pitance médiocre ajoute au charme du jeu. S'il mangeait comme à la maison, ce ne serait plus l'aventure. Tout ce qui est différent est bon à prendre ! Sonia lui donne la recette du bonheur :

— Quoi que tu manges, tu n'as qu'à te figurer que c'est du gâteau ! Tu verras, ça aide !

Le dessert est, immanquablement, une cuillerée de confiture de groseilles. Si les enfants en redemandent, Douniacha répond :

— Une seule suffit. Il faut que le pot dure jusqu'à Kharkov. Et nous en sommes encore loin !

A la longue, les voyageurs se sont habitués à ces bourgeois peu encombrants et peu loquaces. Certaines femmes en fichu sourient même à Youri. On ne se moque plus de l'élégant chapeau à plume de maman.

Lorsque le train stoppe dans une gare, personne ne songe à descendre pour se dégourdir les jambes : les quais étant noirs de monde, l'imprudent qui s'absenterait se ferait immédiatement voler sa place. Posté à la portière du wagon, un moujik à la voix tonitruante hurle, face à la ruée des assaillants :

— C'est complet, les gars ! Allez voir ailleurs !

Des gardes rouges refoulent les malins qui tentent de grimper sur les toits ou de s'asseoir à califourchon sur les tampons. La petite communauté du wagon ne se tranquillise qu'à l'instant où le convoi repart. Enfin on est entre soi !

Pour Youri, les minutes les plus agréables sont celles qui précèdent le sommeil. Assis avec Sonia dans l'encadrement de la portière, il laisse pendre ses jambes à l'extérieur et hume la tiédeur du soir, parfumée d'une odeur de suie. Parfois une escarbille lui pique l'œil et sa vue se brouille. Puis tout s'éclaircit à nouveau. Le paysage crépusculaire glisse sous son regard avec la lenteur d'une toile peinte qui se déroule. Le bruit des roues, le halètement de la locomotive, la sourde rumeur des passagers qui campent derrière son dos ne le gênent pas. Alors que maman souffre le martyre de cet inconfort, de cette promiscuité, il s'en accommode mieux chaque jour. Et Sonia est comme lui, captivée par le voyage au point d'oublier tout ce qui est privation, saleté, fatigue, danger, pour ne penser qu'au plaisir du changement. Elle aussi, il le sent, a fini de regretter Koussinovo. Les trépidations du train font vibrer ses joues dans la pénombre. Ses yeux brillent d'une lumière un peu folle. Elle parle si bas qu'il doit se pencher vers elle pour l'entendre. De temps à autre, il lui fait répéter une phrase qu'il n'a pas bien comprise, car elle a un vocabulaire plus riche que le sien. Tantôt elle lui dit que son père, qu'elle n'a jamais connu, est un brillant officier, « presque un général », qui a séduit sa mère et l'a abandonnée ; tantôt elle raconte que la famille de son père, proche du tsar, s'est opposée au mariage et qu'il s'est suicidé de désespoir ; tantôt elle affirme qu'il est en vie, qu'il aime encore Douniacha et que c'est lui qui a organisé leur fuite à tous les quatre ; tantôt elle confesse que sa mère a rompu avec lui parce que, après avoir été farouchement monarchiste, il se serait rapproché de Lénine... Youri l'écoute débiter ses extravagances sans chercher à savoir si elle dit la vérité ou si elle ment. D'ailleurs, c'est quand il a l'impression qu'elle ment qu'il a le plus envie de la croire. Elle a, dans ces cas-là, le même visage inspiré que lorsqu'elle est en prière.

Souvent aussi elle joue à identifier les étoiles. Elle prétend qu'un astronome à la longue barbe blanche lui a appris à les reconnaître à travers un télescope. Tandis que le train roule, elle pointe son doigt vers le ciel et nomme les astres, un à un :

— Ça, c'est l'Arbalète ; à droite, c'est le Cochonnet ; plus loin, toujours à droite, le Cerf-Volant ; et là-bas, le tout petit point lumineux, la Puce...

Youri la soupçonne d'inventer ces noms et s'émerveille de sa fantaisie. La nuit lui paraît peuplée d'objets précieux et d'animaux de légende qui tous appartiennent à Sonia. Ils se divertissent également à donner des sobriquets aux gens de leur connaissance. Évidemment, c'est Sonia qui imagine les appellations les plus drôles. Ainsi, maman, c'est « la Libellule », à cause de sa fragilité ; Douniacha est « l'Abeille », parce qu'elle fait du miel avec n'importe quoi et que, quand on l'embête, elle pique !... Ils rient sous cape de leurs trouvailles. Maman demande d'une voix lasse :

— Pourquoi riez-vous ?

— Pour rien, pour rien ! répondent-ils, ravis

d'avoir un secret de plus vis-à-vis des grandes personnes.

— Il est temps de vous coucher, dit Douniacha.

Ils regagnent leur coin et s'allongent, côte à côte, sur la paille. Maman entoure du bras les épaules de son fils. Elle soupire, elle gémit, elle pleure peut-être dans le noir. Mais Youri n'arrive plus à la plaindre. Il voudrait qu'elle soit aussi heureuse que lui de vivre ces péripéties exaltantes après la douce monotonie de Koussinovo. Bercé par le mouvement du train, il repasse en mémoire les événements de la journée. Tout s'emmêle dans sa tête, les repas champêtres au bord des rails, les étoiles mystérieuses, confidentes de Sonia, le bruit lancinant des roues, le sourire édenté d'une vieille paysanne, les besoins satisfaits à la va-vite derrière un boqueteau et on court pour rejoindre le train avec une petite crainte agréable au creux de l'estomac. Il a envie de remercier maman, Douniacha, Sonia et — pourquoi pas ? — les bolcheviks de tout ce qui lui arrive. Son seul souhait, c'est que ce voyage providentiel ne s'achève pas trop tôt. Il croit bavarder encore avec Sonia alors que, l'esprit chaviré, il divague dans les brumes du rêve.

Dix jours déjà que le train rampe, avec d'innombrables arrêts, à travers une plaine sombre, des champs nus, la désolation des forêts dépouillées et des humbles villages. Habituée à son lit douillet de Koussinovo, maman se plaint de courbatures. Chaque matin, au réveil, Douniacha lui masse le dos à travers sa robe, car, évidemment, on ne se déshabille pas, on ne se lave pas. Impossible, au milieu de tous ces étrangers. Lors d'une halte en rase campagne, un voyageur supplémentaire a réussi à s'introduire dans le wagon. On l'a accepté parce qu'il a une bonne tête. Il dit s'appeler Lomonossov, comme l'illustre écrivain fondateur de la littérature russe. Petit, malingre, il n'a pas de poil au menton et porte, accroché à la ceinture, un tambourin garni de grelots. D'emblée, il a pris Youri et Sonia en affection et leur a raconté ses malheurs. Montreur d'ours de son métier, il a eu affaire à des gardes rouges qui lui ont confisqué son compagnon. Une bête superbe, nommée Michka, qu'il avait dressée avec amour, qui savait danser sur place, applaudir avec ses pattes de devant, imiter le soûlot qui rentre chez lui en s'accrochant aux réverbères...

— Pourquoi l'ont-ils pris ? demande Youri.

— Pour le tuer, le manger et vendre sa fourrure, dit Lomonossov.

— On peut donc manger de l'ours ?

— L'homme mangerait sa propre mère, s'il avait faim !

— Et sur quelle musique dansait-il, Michka ? questionne Sonia.

Lomonossov brandit son tambourin, le tape du bout des doigts, en fait retentir les sonnailles. Puis, entraîné par le rythme, il chante une mélopée, se dandine, s'accroupit, lance ses jambes à droite, à gauche. On se presse autour de lui, on l'acclame. Les secousses du train le font choir sur le derrière. Même maman rit de bon cœur. Lomonossov se relève et salue.

— Encore ! Encore ! crie Sonia.

Mais il est fatigué. Il essuie une larme du revers de sa main et dit :

— Quand je dansais avec Michka, c'était mieux !

A l'arrêt suivant, loin de toute gare, les voyageurs doivent descendre pour l'inspection des papiers et des bagages. C'est au moins la sixième fois que des gardes rouges procèdent à ce genre de vérification en plein champ. Toujours les choses se sont bien passées. Mais, à chaque nouvelle épreuve, maman est un peu plus inquiète. Elle craint que les bolcheviks ne contestent la validité de leurs sauf-conduits ou ne découvrent les billets de banque et les bijoux cousus dans leurs vêtements.

— Vous devriez me donner tout ça, barynia, dit Douniacha. Rien qu'à la façon dont vous regardez les gardes rouges, ils peuvent se douter que vous cachez quelque chose. Moi, je sais leur parler. Ils ne me fouilleront jamais !

— Oui, oui, ce serait plus prudent, murmure maman. Dès que nous aurons un instant de répit, je le ferai...

Déjà un jeune garde rouge, à la tignasse blonde et au nez épaté, s'approche d'elle. Son visage a une expression de rigueur militaire. On dit que les bolcheviks redoublent d'intransigeance depuis que les armées blanches leur infligent défaite sur défaite. Plus ils se sentent menacés, plus ils deviennent méchants. Pour désarmer le garde rouge qui examine les documents et visite les valises, Douniacha engage la conversation. Elle plaisante. Il consent à sourire. Le contrôle se déroule sans anicroche.

— C'est bon : vous pouvez remonter en voiture ! dit-il.

— Merci, camarade ! s'exclame Douniacha.

Et elle lui envoie un baiser aérien du bout des doigts.

Cependant, du côté de Lomonossov, l'affaire semble mal tourner. Il paraît qu'on a découvert dans son sac un portrait de l'empereur Nicolas II. C'est un crime impardonnable. Les gardes rouges emmènent le malheureux. Il se retourne et crie :

— Pour Dieu, le tsar et la patrie ! N'oubliez jamais !...

Un coup de crosse en pleine nuque lui tranche la parole. Il chancelle, fait deux pas et a encore la force de hurler, à l'adresse des gens de son wagon :

— Je vais rejoindre Michka, mon bon vieux Michka !...

Traîné par les aisselles, bourré de horions, assourdi d'injures, il disparaît dans un petit bois de bouleaux. D'autres gardes rouges se sont emparés d'une demi-douzaine de suspects et les conduisent au même endroit. On dit que les hommes qu'on vient d'arrêter sont des officiers, déguisés en paysans, qui s'apprêtaient à rejoindre l'armée des volontaires. Pendant que les voyageurs regagnent les voitures, des coups de feu éclatent. Là-bas, sous le couvert des doux feuillages jaunissants, on fusille les loyalistes.

— Dieu ait leur âme ! dit maman.

Elle a parlé tout haut. Douniacha le lui reproche, un doigt sur la bouche. Mais personne autour d'elle ne proteste. Peut-être même ceux qui haïssaient le tsar regrettent-ils Lomonossov et son tambourin. Le train se remet en marche.

A la gare suivante, les gardes rouges font le compte des occupants du wagon et, jugeant qu'il y a encore de la place, poussent cinq hommes de plus à l'intérieur. L'un d'eux, un colosse ventru, à la barbe hirsute et à la prunelle noire, se déclare chargé de la surveillance des passagers. Un pistolet et un coutelas pendent à sa ceinture. Il est ivre et éructe à tout instant, avec un bruit de tonneau qui se débonde.

Du premier coup d'œil, il a remarqué Douniacha. Il s'approche d'elle, en bousculant les autres à grands coups d'épaule, et lui débite des galanteries. Entre deux compliments, il croque des oignons crus. Une forte odeur de suint émane de sa personne. Au lieu de se fâcher, Douniacha se prête à son manège. Sans doute a-t-elle deviné que, pour la sécurité de tous, il vaut mieux avoir cet homme-là dans sa manche.

— Viens avec moi, sœurette ! lui dit-il. Nous allons trouver un coin pour bavarder tranquillement, toi et moi.

— Une autre fois, camarade ! répond-elle. Ce soir, je suis fatiguée. J'ai sommeil.

— Eh bien, nous dormirons ensemble !

— Je remue trop en rêve !

— Ça tombe bien : moi aussi !

Tout en parlant, il caresse du bout des doigts l'étui de son pistolet. Maman, terrorisée, serre la main de Youri à la broyer et se lamente :

— Je vous en supplie, monsieur le surveillant, laissez-nous...

— Toi, la bourgeoise, on ne te demande rien ! grogne-t-il. Et d'abord, d'où tu viens ?

— De Moscou, balbutie maman.

— Où tu vas ?

— A Kharkov.

— Quoi faire ?

— Rejoindre mon mari.

— Tu as donc besoin d'un homme ! Pourquoi ta jolie copine n'en aurait pas besoin, elle aussi ?

Et, tourné vers Douniacha, il ajoute d'un ton menaçant :

— Alors, tu te décides ?

Douniacha se lève avec un gracieux mouvement des hanches. On dirait presque qu'il ne lui déplaît pas d'obéir à cette brute. Youri, abasourdi, songe que les réactions d'une femme devant les exigences masculines sont inexplicables. Souvent elles se laissent séduire par la dégaine d'un individu qui, normalement, devrait leur soulever le cœur. Du regard, il interroge Sonia. Elle sourit, amusée. Elle a l'air d'approuver sa mère. Elle aussi est imprévisible.

Douniacha s'éloigne, guidée par l'homme qui lui entoure la taille de son bras. Ils se fraient un passage entre les autres voyageurs et disparaissent. La nuit est venue. Quelqu'un allume une chandelle. De grandes ombres tremblent au plafond. Puis la chandelle s'éteint. Maman se recouche et murmure :

— Pauvre Douniacha! Elle se sacrifie pour nous!

Youri n'en est pas très sûr. Tout cela, même la peur, relève d'une sorte de représentation théâtrale, à laquelle il participe avec des êtres qu'il aime. Il se rappelle un spectacle d'amateurs donné chez leurs voisins, les Goussev, devant un public d'enfants. Ici comme là-bas, tout est irréel, exagéré, merveilleux, et sans rapport avec la vie quotidienne. Son seul regret est que papa ne soit pas des leurs. Mais on le retrouvera bientôt et, avec lui, ce sera encore plus épatant!

A travers le grondement du train en marche, il entend un vague remuement, une sourde rumeur d'étable. On jurerait que le wagon a été rendu à sa destination première. Il imagine tous les passagers transformés en bestiaux. Lui il serait un jeune veau et Sonia une jolie chevrette. Il pourrait même y avoir des chevaux. Maman ferait une belle pouliche et Douniacha aussi, secouant la crinière et ruant contre la paroi. Ce serait comique! On ne se parlerait plus, on meuglerait, on bêlerait, on hennirait... Il a envie de le dire à Sonia, mais elle s'est déjà assoupie. Une faible clarté lunaire, passant par le fenestron à claire-voie du wagon, nimbe son visage. Elle a le nez dans le pli de son coude et ses longs cheveux défaits pendent sur son épaule. De très beaux cheveux, constate Youri. Châtain foncé, presque noirs, et lustrés comme de la soie. Il n'aurait pas aimé qu'elle fût blonde. Pourquoi? Il ne saurait le dire. La blondeur, chez une femme, lui semble un signe de stupide mollesse, d'excessive douceur. C'est comme un gâteau trop sucré. Il n'y a que maman qui soit à la fois blonde et belle. Il se penche vers Sonia et chuchote :

— Soniouchka!

Elle garde les yeux clos. Dort-elle vraiment ou fait-elle semblant pour le taquiner? On ne sait jamais à quoi s'en tenir avec cette fille. En tout cas, si elle dort, c'est qu'elle n'est guère préoccupée par le sort de sa mère! Que devient Douniacha en cette minute? Tient-elle tête au surveillant croqueur d'oignons ou se laisse-t-elle pinçoter et bécoter par lui? On n'en finit pas de s'étonner, dans ce voyage. Youri répète avec insistance :

— Soniouchka! Soniouchka!..

120

Toujours pas de réponse. Elle doit être en plein sommeil. Fait-il partie de son rêve ? Il n'ose lui effleurer le bras et se recouche sur le dos, en songeant à tout ce qu'il lui racontera demain pour l'amuser.

VII

Avant même de s'être réveillé, Youri devine que quelqu'un enjambe son corps avec une légèreté d'acrobate. Il ouvre les yeux et, dans la pénombre, reconnaît Douniacha qui regagne sa place et s'étend à côté de sa fille. Ni Sonia ni maman, qui dorment profondément, n'ont rien remarqué. Le train roule à faible allure. Par les portières qui ont été ouvertes, à l'insu de tous, pendant la nuit, la fraîcheur de l'aube s'insinue dans le wagon. Youri essaie de retrouver le sommeil. Mais la curiosité le tenaille. Il voudrait interroger Douniacha. Impossible : elle repose déjà, le souffle régulier, les paupières fermées.

Le matin tarde à venir. Enfin, les voyageurs s'ébrouent dans la lumière d'un jour pluvieux. C'est l'heure de la toilette. Maman se lave le visage et les mains avec l'eau d'un bidon qu'on remplit à la citerne, dans les gares. Douniacha en fait autant pour elle-même et les enfants. Soudain des exclamations fusent de l'autre côté du wagon :

— Le surveillant a disparu !

— Où est-il passé ?

— Il a dû sauter du train en marche !

— Eh bien, bon vent ! Ce n'est pas moi qui le regretterai !

Douniacha sourit, énigmatique.

— C'est toi qui l'as vu en dernier ? demande maman avec méfiance.

— Oui, je pense, dit Douniacha.

— Alors, tu dois savoir ce qu'il est devenu !

— Non.

— Quelqu'un l'a poussé dehors ?

— Peut-être pas. Il était soûl comme une bourrique : il a pu trébucher, tomber sur la voie...

— Es-tu sûre que tu n'es pour rien dans cette affaire ?

— Tout à fait. Mais il n'a que ce qu'il mérite. Il nous menaçait, dans le coin, avec son couteau...

— Si les autorités l'apprennent...

— Personne n'en saura rien ! A notre époque, un homme de plus ou de moins, est-ce que ça compte ?

Youri s'émerveille devant la tranquille assurance de Douniacha. Il est persuadé qu'elle a poignardé le surveillant après lui avoir arraché son couteau et qu'elle a jeté le cadavre par la portière. C'est ainsi que cela se passe dans les romans d'aventures. D'ailleurs, tous les occupants du wagon sont d'accord avec elle. On l'admire et on la respecte parce qu'elle a débarrassé la compagnie d'un personnage dangereux. Cependant elle continue à nier :

— Je ne suis pas au courant... Cela s'est fait tout seul, pendant que je dormais...

Un grand type barbu et chevelu, à la touloupe rapiécée, s'approche d'elle, lui tend une timbale pleine de vodka et lui dit simplement :

— Avec les remerciements des voisins !

Elle se lève, boit, se rassied et soupire :

— Quelle nuit, mon Dieu ! Quelle nuit !

Maman n'ose plus intervenir. Youri s'exalte à la pensée que maintenant tout est permis. A la maison, l'existence était réglée dans ses moindres détails, selon les principes de la politesse et de la hiérarchie. Il fallait se tenir droit à table, ne parler que pour répondre aux questions, claquer des talons et s'incliner devant les grandes personnes en visite, baiser la main des dames, ne pas courir dans les corridors, se coucher à heure fixe, se laver les oreilles et les dents le matin, faire sa prière au réveil et le soir, au pied de son lit... Ici, rien de tout cela. Chacun vit à sa guise. On n'obéit pas à un emploi du temps, on l'invente au fur et à mesure des circonstances. Tout est surprise, improvisation, liberté. Si c'est ça la révolution bolchevique, pourquoi la combattre ?

Soudain le train ralentit et s'arrête. Sans doute encore une lubie du conducteur. Mais il a mal choisi son endroit pour une halte. Alentour, rien que des champs qui fument après la pluie. Personne n'a envie de descendre. Tout de même, comme dit maman, il faut en profiter pour « prendre ses précautions ». Quelques voyageurs sautent à bas du wagon et courent dans la terre molle vers un boqueteau accueillant. Maman, Douniacha, Sonia et Youri leur emboîtent le pas. On ménage des distances de pudeur entre les fourrés, pour ne pas se gêner les uns les autres. Debout, la braguette ouverte et arrosant l'herbe devant lui, Youri regarde du côté où a disparu Sonia. Même en se haussant sur la pointe des pieds, il ne voit, au-dessus des buissons, que ses cheveux bruns noués d'un ruban rose sale. Elle est accroupie, comme toutes les filles dans ces cas-là. Cette singularité de l'anatomie féminine le trouble. Chose étrange, quand il pense à maman

126

ou à Douniacha se soulageant, jupes relevées, dans la même position, il n'a nullement l'impression d'un mystère. C'est Sonia seule qui entraîne sa rêverie dans une direction interdite. Il imagine des cuisses blanches et lisses sortant d'une courte culotte de coton. Son souffle devient bref. Il se reboutonne et attend les autres pour retourner au wagon.

Comme d'habitude, on se hâte à grandes enjambées, par crainte que le train ne redémarre sans avertissement. Mais, longtemps après que les passagers se sont réinstallés, le convoi demeure sur place. Au bout d'une heure d'attente, quelques hommes vont aux nouvelles. Ils reviennent, l'air penaud, et annoncent que le conducteur est parti.

— Comment ça, parti ? s'exclame Douniacha.

— Eh oui ! dit un gaillard trapu, aux cheveux coupés ras et au menton en galoche. Comme on est arrivés près de son village, il est descendu de sa machine et il est rentré chez lui.

— Pour y voir sa famille ?

— Non. Pour y rester. Il ne veut plus continuer. C'est son idée, quoi !

— Mais il n'a pas le droit ! proteste maman.

— Tout le monde a tous les droits, maintenant, c'est bien connu !

— Qu'allons-nous devenir ? Peut-être que son aide peut le remplacer ?

— On lui a demandé. Il dit que non, qu'il ne sait pas...

Un silence de défaite pèse sur le groupe. Une fois de plus, c'est Douniacha qui réagit la première. Son regard étincelle comme celui d'un général sur le champ de bataille.

— A combien de verstes la prochaine gare ? interroge-t-elle.

— Trois ou quatre...

— Je vais y aller ! C'est bien le diable si je ne déniche pas, là-bas, un chauffeur capable de faire marcher la locomotive. Quelqu'un peut-il m'accompagner ?

Nul ne se propose. Le gars aux cheveux coupés ras marmonne :

— A quoi bon ? Tu ne trouveras personne. Il vaut mieux attendre...

— Quoi ? rugit Douniacha. Qu'un ange descende du ciel et se mette aux commandes de l'engin ? C'est bon : j'irai seule !

Et, ramassant ses jupes, elle descend du wagon et s'éloigne, d'un pas résolu, sur le sentier qui longe la voie.

— Je voudrais aller avec elle ! s'écrie Youri.

— Non, tranche maman. Tu resteras ici. Nous ne devons pas nous séparer !

Brutalement rappelé à l'état d'enfance, Youri a un sursaut de révolte. Puisque chacun n'en fait qu'à son idée, à commencer par le conducteur du train, pourquoi ne courrait-il pas derrière Douniacha malgré l'interdiction de maman ? Il regarde sa mère avec défi et, alors qu'il s'y attend le moins, son cœur fond de tendresse devant ce visage marqué par la fatigue, l'angoisse et la désolation. Elle ne domine plus son fils, elle lui demande, en silence, de la comprendre et de l'aimer. Il ne résiste pas et tombe dans ses bras, la tête pleine de larmes.

On déjeune au bord des rails, comme d'habitude, mais sans Douniacha. Assis sur le ballast, les voyageurs prennent leur temps. A côté d'eux, s'étire la longue file des wagons vides. En tête de convoi, immobile, inutile, la locomotive ne fume plus. A mesure que les heures passent, maman se montre plus inquiète. N'aurait-on pas retenu Douniacha à la gare ? Ne l'aurait-on pas arrêtée sous quelque sot prétexte ?

— Que ferons-nous si elle ne revient pas ? se lamente-t-elle.

Mais voici qu'un à un les pique-niqueurs se lèvent. Youri tourne la tête. Bonheur ! Douniacha marche à leur rencontre. Un petit homme la suit, vieux, barbichu, claudicant. Aussitôt, tout le monde les entoure. Elle proclame d'une voix de chef :

— Je vous amène Zinovi. Il est chauffeur de camion. Mais, quand il était jeune, il a aidé son père, un vrai cheminot celui-là, à conduire une locomotive. Il pense qu'il saura se débrouiller...

On ovationne Zinovi et Douniacha. Maman émet bien quelques doutes sur les compétences du nouveau venu, mais personne ne l'entend.

— Où l'as-tu pêché ? demande-t-elle entre haut et bas à sa femme de chambre.

— Au cabaret. Il n'avait pas de quoi payer son verre...

— Il est bien vieux !

— J'ai pris ce que j'ai trouvé. A la gare, on m'a juré qu'il s'en tirerait.

— Maman, tu es une magicienne ! s'écrie Sonia.

— Une sorcière ! corrige Douniacha en riant.

C'est vrai, pense Youri, que Douniacha pourrait être une sorcière. Et Sonia aussi. N'est-elle pas, en plus petit, la réplique exacte de sa mère ? Les mêmes cheveux sombres, le même regard tantôt hardi, tantôt coquin, la même souplesse de gestes, le même caractère à la fois décidé et fantasque...

Une escorte d'honneur accompagne Zinovi

jusqu'à sa machine. Puis les voyageurs regagnent leurs wagons. Et l'attente recommence, interminable. On n'ose même plus descendre pour dîner en plein air. Douniacha ouvre deux boîtes de sardines et coupe quatre tranches d'un pain à la farine de son bourré de brins de paille... Cela doit suffire à caler l'estomac. Enfin le sifflet victorieux de la locomotive déchire le silence et — miracle! — le train frémit, craque, se met en marche à grandes secousses.

Rassurée, maman se prépare pour la nuit dans le nid de valises et de balluchons. Au comble de l'excitation, Youri attend que Sonia se soit endormie pour s'assoupir lui-même en la regardant. Le convoi ronronne à travers son rêve. Soudain, il se redresse en sursaut. Autour de lui, tout est noir. Le train roule très lentement. Mais on dirait qu'il va en arrière! Personne ne s'en aperçoit encore. Douniacha s'étire, inconsciente, dans son sommeil. Youri en profite pour lui toucher l'épaule. Quand elle ouvre les yeux, il murmure :

— Douniacha! Douniacha, on n'avance plus, on retourne d'où on est venus!

— Tu divagues! grogne-t-elle, mécontente d'être dérangée. On a souvent cette impression dans l'obscurité...

— Non, non, c'est vrai, je t'assure!

Elle se lève à contrecœur, va à la portière et s'exclame, soucieuse :

— C'est incompréhensible ! Qu'est-ce qu'il fabrique, Zinovi ?

Au petit jour, le train entre à reculons dans la gare de triage d'où on était partis la veille. Les voyageurs courent aux portières et s'indignent. Une délégation se rend auprès de Zinovi pour demander des explications. Bien entendu, Douniacha est du nombre. Elle revient apaisée : Zinovi a dû rebrousser chemin parce qu'il manquait de charbon pour continuer. Il va regarnir son tender au dépôt et on se remettra en route. Mais le combustible est chose si rare par les temps qui courent qu'il faut remplir beaucoup de papiers et solliciter beaucoup de signatures avant de pouvoir obtenir sa ration.

— Cela prendra au moins deux ou trois heures, estime Douniacha.

— On pourrait en profiter pour refaire notre réserve d'eau, dit maman.

— Oui, approuve Douniacha, mais attention : l'eau de la citerne n'est pas bonne à boire. Si on veut de l'eau potable, il faut se servir à la pompe, qui est sur l'autre quai, tout là-bas...

— Je l'ai repérée hier ! s'écrie Youri. J'y vais !

— Tu sauras ?

— Bien sûr !

Il est impatient de prouver qu'il est aussi capable que Douniacha de dominer une situation délicate. Quand il quitte le wagon, portant dans un sac des bouteilles et des bidons vides, il a le sentiment de partir pour une expédition hasardeuse. Tête droite, regard intrépide, il joue à se figurer qu'il court de grands risques parmi les inconnus qui se coudoient sur l'embarcadère. C'est sans peine qu'il trouve, à l'autre bout de la gare, la vieille pompe à levier surmontée de l'écriteau : « Eau potable. »

Ayant rempli ses récipients au jet crachotant du goulot, il revient sur ses pas. Mais subitement, une inquiétude le saisit au ventre. Il ne reconnaît pas les wagons de son convoi. L'enchevêtrement des rails est tel qu'errant de quai en quai il perd le sens de l'orientation. Toutes les rames se ressemblent et aucune n'est la bonne. De différents côtés des locomotives sifflent, des gens courent, une cloche sonne. Et si le train repartait sans lui ? Que ferait-il seul dans cette ville étrangère ? Pas d'argent, pas de papiers ! Il était sur le point de croire qu'il avait dix-huit ans, vingt ans, et brusquement il n'en a plus que onze et demi ! Par prudence, il évite d'attirer l'attention des individus portant un brassard rouge sur la manche ou une étoile rouge sur la casquette. Avisant un vieil homme qui, une grosse burette de mécanicien à la main, semble être un employé de la gare, il lui demande son chemin. L'autre hausse les épaules :

— Comment veux-tu que je te renseigne ? C'est la pagaille ! Les trains se rangent comme ils veulent, où ils veulent... Ah ! ce n'était pas ainsi du temps de notre petit père, que Dieu le reçoive au royaume des cieux !

L'homme s'en va en boitant d'une jambe. Youri le regarde partir avec désespoir. Son cœur le lâche. Il sanglote. C'est le naufrage au milieu d'un océan déchaîné. Prêt à sombrer, corps et âme, il hurle instinctivement :

— Douniacha ! Douniacha !

Et Douniacha apparaît, comme portée par un rai de lumière.

— Tu t'étais perdu ? demande-t-elle.

Ébloui de bonheur, il voudrait voler dans ses bras, mais un reste de vanité l'incline à rester sur place et à mentir :

— Pas du tout... Je... je faisais un détour pour voir..., comme ça...

Douniacha n'est pas dupe. Son sourire hésite entre l'ironie et l'indulgence.

— Nous étions très inquiètes, toutes les trois, dit-elle. Surtout ta mère. Dépêche-toi ! La locomotive est de nouveau là. On va pouvoir repartir...

134

Elle lui tend la main. Il se garde bien de la prendre, pour n'avoir pas l'air d'un petit garçon que sa gouvernante ramène à la maison. Quand ils arrivent sur le quai au bord duquel stationne le convoi, Sonia court vers eux, les cheveux au vent, le rire aux lèvres. Elle s'arrête devant Youri, tout essoufflée, lui jette un regard d'une intense douceur et dit :

— J'avais si peur que tu ne reviennes pas !

Remué jusqu'aux tripes, il s'imagine être un héros de la guerre rentrant chez lui en permission et retrouvant sa femme qui, depuis des mois, l'attendait dans l'anxiété et la prière.

— T'es folle ! raille-t-il. Une gare, c'est pas la jungle. Je savais quand même où j'allais !...

VIII

N'était la faim qui lui tiraille le ventre, Youri ne souhaiterait pas que le train arrivât plus vite à Kharkov. Mais, à mesure que les jours passent, la nourriture se fait plus rare. Comme on est à la fin d'octobre, il ne reste rien à voler dans les champs. A chaque arrêt, des voyageurs s'égaillent parmi les terres labourées, creusent le sol à pleins doigts dans l'espoir de trouver un trognon de chou, une rave pourrie oubliée par les paysans et reviennent bredouilles. Les buffets des gares ne sont plus approvisionnés. Tout ce qu'on peut obtenir sur place moyennant quelques kopecks, c'est de l'eau bouillante. Douniacha y dilue un peu d'orge ou d'avoine. Ce brouet maigre a au moins l'avantage de réchauffer l'estomac. La réserve de sardines est presque épuisée : plus que trois boîtes. Le pain manque. Douniacha recommande de mâcher longuement chaque morceau afin de se donner l'illusion d'une alimentation normale. Pour tromper leur appétit, Youri et Sonia évoquent, à voix basse, les plantureux repas d'autrefois. Assis côte à côte sur la paille, ils rêvent de blinis, de crème, de caviar, et la bouche de Youri s'emplit de salive.

— Et pour le dessert, qu'est-ce que tu préfères ? demande Sonia.

— Les vatrouchkis !

— Moi, c'est la paskha.

— Mais on n'en fait que pour Pâques !

— Justement ! Plus c'est rare, meilleur c'est ! Rappelle-toi : l'année dernière, Agafia avait confectionné une paskha tellement haute qu'elle s'est effondrée quand Igor l'a posée sur la table.

— C'était pas l'année dernière : c'était il y a deux ans !

— Non !

— Si !

— Non !

Ils se chipotent, secoués par une joyeuse rage de contradiction.

— On va demander à maman, décrète Youri.

Questionnée à l'improviste, maman soupire :

— Taisez-vous un peu, les enfants ! Je suis fatiguée !

Tout le wagon est fatigué. Il y a cinq semaines que le train a quitté Moscou. Les étapes sont de plus en plus courtes, les haltes de plus en plus longues.

Pour les voyageurs, aux privations s'ajoute l'angoisse. Ils ne parlent guère et évitent de bouger afin de ménager leurs forces. L'obsession de tous est la menace d'une attaque du convoi par quelque bande armée. L'Ukraine, qu'on traverse à une allure de tortue, est en pleine ébullition. Personne ne comprend ce que veulent au juste les différentes factions qui se disputent le pouvoir. Douniacha et maman expliquent tant bien que mal aux enfants qu'en plus de la guerre civile entre les rouges et les blancs il y a maintenant, dans la région, rivalité entre les partisans de l'hetman Skoropadski, lequel est soutenu par les Allemands dans son intention de créer un gouvernement ukrainien, et ceux d'un certain Petlioura, qui lui aussi est un séparatiste ukrainien, mais hostile à l'Allemagne et favorable aux Alliés. Cette lutte fratricide est arbitrée par l'Allemagne qui, après le « honteux traité » de Brest-Litovsk, accepté par Lénine et Trotski, occupe militairement l'Ukraine. De cet embrouillamini politique, Youri ne retient qu'une chose : le train peut être intercepté, à tout instant, par des hordes sauvages, comme les caravanes de pionniers américains le sont, dans les livres de Fenimore Cooper, par des Indiens brandissant leurs tomahawks. Le souvenir de ses lectures l'exalte. Il est à la fois surexcité et apeuré. S'il avait un fusil sous la main, il se sentirait plus sûr de lui. Mais comment défendre la diligence avec, pour seule arme, un canif ? Et dire qu'avec si peu de moyens il a trois femmes à protéger ! De temps en temps, il se penche à la portière pour inspecter l'horizon. Tout semble calme. Trompeuse apparence : le danger peut surgir d'une seconde à l'autre. Un nuage de poussière sur le chemin bordant les rails, et voici l'ennemi qui se rapproche. A cheval, bien entendu : ce sont des bolcheviks, ou les légions de Petlioura, ou celles de Skoropadski, ou une patrouille d'Allemands reconnaissables à leur casque à pointe. Les minutes passent. Rien ne vient. Le train poursuit sa route cahin-caha, à travers un paysage rassurant. Youri le déplore par principe, mais n'en est pas moins fort soulagé. A présent, il entend des hommes qui discutent d'une voix traînante derrière son dos :

— Moi, je te répète que, si les Allemands occupaient toute la Russie, ça irait mieux ! Au moins, il y aurait de l'ordre ! Les trains arriveraient à l'heure ! Et on trouverait à manger !

— Tu peux toujours te fouiller pour que les

Allemands s'installent partout! Ils sont sur le point de perdre la guerre!

— Ils font semblant. Ce sont des malins. Quand ils jugeront le moment venu, ils avaleront d'un seul coup les Français, les Anglais et même les Américains. Les Allemands sont des guerriers, les autres sont des commerçants... ou des artistes!

— Allemands ou pas, moi je m'en fous! Ce que je veux, c'est qu'on arrive vite à Kharkov. Il paraît qu'en ville ils ne manquent de rien. On pourra bouffer jusqu'à s'en crever la panse!

— On y sera quand, d'après toi, à Kharkov?

— A cette vitesse-là, on en a bien pour une semaine...

Comme si le conducteur Zinovi avait entendu cette remarque, le train ralentit et s'arrête. On se précipite aux portières. Des champs à perte de vue. Douniacha et deux autres voyageurs sautent à terre et vont demander des explications à Zinovi. Ils reviennent, la mine déconfite : les rails ont été déboulonnés et enlevés sur une longue distance. Il faut ou bien continuer le trajet à pied, ou bien attendre l'arrivée d'une équipe de cheminots qui remettra la voie en état. La nouvelle court de wagon en wagon. Tout le monde descend. Autour du convoi frappé de paralysie, une foule désemparée commente l'événement et proteste à grands cris dans le vide.

— Combien de temps avant qu'on ne vienne nous tirer d'affaire? demande maman.

— Personne ne le sait, répond Douniacha. L'aide du conducteur est parti pour prévenir la gare la plus proche.

— Mais qui a pu faire ça?

— N'importe qui! Les malveillants ne manquent pas dans la région!

— Je suis sûr que ce sont les gars de Skoropadski! affirme quelqu'un.

— Ou ceux de Petlioura! grogne un autre.

— Ou les bolcheviks! dit Douniacha.

— Qui a osé accuser les bolcheviks? s'écrie une femme habillée en soldat, qui s'approche d'un pas pesant.

Elle vient du wagon voisin avec deux autres matrones, elles aussi en uniforme. Leur forte poitrine bombe sous le tissu de la vareuse. Une abondante chevelure, roulée en boule, déforme la coiffe de leur casquette frappée de l'étoile rouge. Elles sont chaussées de bottes et portent un revolver au côté. C'est la première fois que Youri voit des femmes soldats. Celle qui a l'air de diriger le trio répète sa question:

— Qui a osé accuser les bolcheviks?

Tous les regards se tournent vers Douniacha. Sans se troubler, elle réplique :

— On est en guerre. Les bolcheviks ne sont pas des saints.

— Tu n'aimes pas les bolcheviks ?

— Si, camarade.

— Alors, pourquoi les insultes-tu ?

— Je ne les insulte pas. J'ai dit ça pour rire !

— On ne rit pas quand l'honneur du peuple est en jeu !

Douniacha baisse la tête et murmure :

— Je ne le ferai plus, camarade !

Youri est déçu. Il aurait voulu que Douniacha sautât à la gorge de la virago, toutes griffes dehors. Ou du moins qu'elle lui crachât au visage. A tout hasard, il crispe les doigts sur son canif, au fond de sa poche. Mais l'incident est clos.

— C'est bon ! conclut la meneuse. A l'avenir, tâche de tenir ta langue. Sinon, nous te ferons savoir comment, chez nous, on soigne la canaille blanche !

Les trois femmes soldats s'éloignent, méprisantes.

— Quelles horribles mégères ! gémit maman.

Après leur départ, ceux qui ont assisté à l'altercation en retenant leur souffle respirent et s'ébrouent. Puis soudain, ils se figent à nouveau.

Un bruit de charroi se précise. Venant d'un village voisin, des télègues remontent lentement le long de la voie. Il y en a une dizaine qui cahotent sur le chemin, tirées par des chevaux de rebut. Arrivées à hauteur du train, elles s'arrêtent, et les voyageurs les entourent aussitôt, gesticulant et vociférant à qui mieux mieux. Les cochers sont de solides moujiks à l'air renfrogné. Dans le charivari de la discussion, Youri croit comprendre qu'ils se proposent pour conduire les passagers du train jusqu'à la prochaine gare, moyennant une forte rétribution payable d'avance. La plupart des voyageurs refusent. Certains par méfiance, d'autres par manque d'argent. Douniacha dit à maman :

— Il faut accepter, barynia. C'est notre seule chance de nous en tirer !

Une idée extravagante traverse l'esprit de Youri : et si c'étaient ces mêmes moujiks qui avaient déboulonné les rails pour empocher quelques centaines de roubles en transportant les victimes de leur mauvais coup ? Il se confie à voix basse à Douniacha et elle répond en riant :

— C'est aussi ce que je pense ! Il n'y a pas plus canaille que le paysan russe. Pour dix kopecks, il vendrait son âme !

Sans perdre de temps, les voyageurs les mieux nantis assaillent les télègues, tandis que les plus démunis — ils sont la majorité — se dispersent en maugréant. Toujours à la pointe de l'action, Douniacha va débattre du prix avec un jeune cocher, qui a déjà chargé trois personnes dans sa voiture. Affaire conclue, maman lui tend une liasse de billets qu'il fourre, soigneusement pliés, dans la tige de sa botte. La famille se hisse, avec ses bagages, dans le chariot qui craque sous le poids. On se tasse, épaule contre épaule, entre les ridelles.

— Ne sommes-nous pas trop nombreux ? demande maman, inquiète.

— Non, non ! réplique le cocher. Aussi vrai que je m'appelle Louka, vous ne risquez rien ! Ma jument est la meilleure de la région !

Il clappe joyeusement de la langue et, en effet, le cheval au rustique harnais de cordes bande ses muscles, frémit et se met en mouvement. Mais bientôt, au lieu de longer la voie de chemin de fer comme les autres voitures, Louka coupe à travers champs. Les roues de sa télègue tressautent sur les mottes sèches d'un sentier à peine marqué.

— Pourquoi prends-tu par là ? demande Douniacha.

— C'est un raccourci que je connais, répond-il. Comme ça, nous gagnons au moins quatre verstes sur les autres !

— Et nous serons rendus ce soir ?

— Pourquoi que nous ne le serions pas ?

— Mais il fait déjà sombre !

— Même la nuit, je sais reconnaître mon chemin !

Et il ajoute avec fierté :

— J'ai une lanterne à acétylène !

Youri lève les yeux vers le ciel chargé de nuages crépusculaires. Un froid humide le pénètre. Sonia se blottit contre lui et chuchote :

— J'ai peur !

Cet aveu le transporte.

— C'est bien que tu aies peur, Soniouchka ! dit-il.

— Pourquoi ?

— Parce qu'alors moi, je n'ai plus peur du tout !

— Les femmes soldats, elles non plus, n'ont pas peur, murmure-t-elle. C'est drôle, je n'aimerais pas porter un uniforme et avoir un revolver ! Une femme, c'est fait pour plaire, pour se marier, pour avoir des enfants, pas pour se battre, pas pour tuer...

— Ta mère est une femme, et pourtant elle a bien tué le bonhomme qui l'embêtait dans le train !

— Vous avez fini de dire des sottises ? intervient Douniacha avec sévérité.

146

La nuit étant venue, Louka allume sa lanterne à acétylène.

— On n'y voit pas mieux qu'avant, proteste maman.

— Moi, j'y vois ! dit Louka. Je connais le coin comme ma poche. Nous sommes dans une zone neutre, entre les lignes allemandes et les lignes bolcheviques. Ici, tout le monde a le droit de circuler !

Youri savoure l'imprévu de la situation. Cette course lente et prudente dans la nuit, cette lampe à acétylène dont la lueur vacille à chaque cahot, ces ombres folles qui dansent à droite et à gauche dans les herbes ébouriffées, ce lancinant grincement d'essieux, tout cela compose une joyeuse fantasmagorie qui, lui semble-t-il, n'aura jamais de fin. Est-il encore éveillé ou s'abandonne-t-il déjà aux caprices du rêve ? A peine s'est-il posé la question qu'un bruit de cavalcade retentit derrière son dos. Aussitôt, Louka tire sur les guides et la télègue s'immobilise.

— Désolé ! dit-il calmement. J'ai dû sortir de la zone neutre. C'est une patrouille allemande... Ne craignez rien : ils ne sont pas méchants... Seulement, depuis une quinzaine de jours, ils arrêtent tous les voyageurs venant du Nord et les mettent en quarantaine à cause de la maladie...

— Quelle maladie ? demande maman.

— La grippe espagnole. Il paraît qu'elle nous menace tous, que les gens crèvent par centaines, qu'il faut prendre des précautions...

— Mais nous ne sommes pas malades !

— Vous vous expliquerez au camp. Vous savez, ce n'est pas terrible : quelques jours à passer avec des docteurs, des infirmiers qui vous surveillent, et vous pourrez repartir !

— Tu savais ce qui nous attendait si tu nous amenais par ici, espèce de faux jeton ! s'écrie Douniacha.

— Je te jure que non !

— Alors pourquoi n'as-tu pas pris le même chemin que tes camarades ?

— Je te l'ai dit : c'est un raccourci...

— Et après t'être débarrassé de nous en nous livrant aux Allemands, tu vas retourner au train chercher d'autres gogos ? Pendant que tes copains font un seul voyage jusqu'à la prochaine gare, tu en fais deux ou trois jusqu'au camp. C'est tout bénéfice !

Pour seule réponse, Louka grogne :

— Un dernier conseil : soyez très aimables avec eux. Autrement, ils pourraient se fâcher !

Cette péripétie inattendue effraie Youri et le réjouit à la fois comme un heureux coup de théâtre. Les nerfs tendus de curiosité, il scrute l'ombre légère et voit venir, au trot, une demi-douzaine de cavaliers.

Ils sont armés de lances et portent sur la tête un casque surmonté d'une drôle de petite plate-forme.

— Vous avez de la chance, dit encore Louka. Ce sont des uhlans ; ils sont plus gentils que les autres !

Les uhlans entourent la voiture. Rassemblant ses connaissances d'allemand, maman tente de parlementer avec eux. Mais le chef du détachement ne veut rien entendre.

— *Los ! Los !* hurle-t-il en menaçant Louka de sa lance.

La télègue repart, escortée par les cavaliers. La lampe à acétylène éclaire faiblement l'extrémité du sentier, qui débouche sur une route. Les cahots deviennent moins violents.

— C'est tout de même plus civilisé ! dit Sonia.

— J'espère au moins que dans ce camp on nous donnera à manger ! soupire Douniacha.

— Mais oui ! crie Louka par-dessus son épaule. Vous y serez très bien !... Les Allemands raflent toute la nourriture dans le pays... Je connais des gens qui paieraient pour aller chez eux en quarantaine !

Cette affirmation remonte le moral de la compagnie. Un passager inconnu ricane même :

— Si c'est vrai, Louka, tu mérites en plus un bon pourboire !

On traverse un village endormi, une forêt aux arbres nus, dont l'odeur de feuilles mortes rappelle à Youri les soirs d'automne à Koussinovo, et soudain, devant le chariot qui brinquebale, apparaît un réseau de fils de fer barbelés. Des sentinelles ouvrent un portillon au milieu de la clôture hérissée de piquants que domine un écriteau aux lettres biscornues. Les uhlans parlent très fort entre eux, dans une langue aux accents gutturaux. Louka, qui a l'air de connaître les lieux, conduit la télègue devant un bâtiment en planches, brillamment éclairé, sur le toit duquel, au bout d'une hampe, flotte le drapeau allemand. Youri l'identifie pour l'avoir reproduit en couleurs dans son dictionnaire. Tout autour, s'alignent des baraquements aux fenêtres éteintes. On dirait que l'endroit n'est pas habité. Cependant, un chien aboie. La même grosse voix que celle du pauvre Bari. Youri a un pincement au cœur. Le chef des uhlans répète d'un ton rocailleux :

— *Los ! Los !*

N'est-ce pas encore le chien qui aboie ?

— Vous êtes arrivés, dit Louka. Il faut descendre. Moi, je repars. Bonne chance !

IX

Bien que le voyage en wagon à bestiaux l'ait habitué au sommeil en commun, Youri a du mal à dormir au milieu des réfugiés de la baraque numéro 5. Ils sont une trentaine, gisant flanc à flanc sur des paillasses crasseuses, disposées à même le sol de terre battue. Les uns sont malades, les autres pas. On a renoncé à les trier par manque de place. Tant pis pour la contagion. Mais on a séparé les hommes des femmes. La baraque numéro 5 ne contient que des femmes et des enfants. Par vanité masculine, Youri aurait préféré être parqué avec les hommes, mais, dans son for intérieur, il est reconnaissant au commandant du camp de l'avoir laissé avec maman, Douniacha et Sonia. Pour la première fois de sa vie peut-être, il ne déplore pas son jeune âge. Un concert de respirations engorgées, de toux déchirantes et de gémissements monotones berce son insomnie. Bientôt, il fera jour. Déjà une faible lueur bleutée filtre entre les planches disjointes des murs. La première neige est tombée avant-hier. Il fait très froid, malgré le petit poêle en fonte qui ronronne au centre de la pièce. L'odeur d'excréments et de sueur ne se dissipera qu'au moment où un gardien ouvrira les portes. Elles sont toujours verrouillées pour la nuit. Il y a des pots de chambre collectifs et un baquet de vidange dans un coin. Chacun y va à tour de rôle. Les femmes ne se gênent pas entre elles. Certaines, cependant, tirent un rideau en toile de sac pour se dissimuler pendant qu'elles font leurs besoins. Maman, Douniacha et Sonia sont de celles-là. Même dans la saleté, la fatigue et la misère, elles gardent de la pudeur et de la dignité. Maman, hier soir, se plaignait de douleurs dans les articulations et de frissons à fleur de peau. Sa tête était lourde, brûlante. Et elle avait tout le temps envie de boire. Ne serait-ce pas le début de la grippe ? Le médecin du camp passe chaque matin. Il la soignera, il la guérira. Hier aussi, deux femmes sont mortes de cette maudite fièvre. Des infirmiers ont emporté les corps sur des brancards. On avait recouvert leur visage avec du papier journal. Heureusement, elles ne laissent pas d'enfants. Youri n'est pas inquiet pour maman. Elle a l'air fragile, mais rien ne peut l'abattre. Le seul fait qu'il soit son fils la met à l'abri de tout.

Elle s'agite dans son sommeil, roule sa tête de droite et de gauche sur le manteau tassé en tapon qui lui sert d'oreiller, bredouille des paroles sans suite. Autour d'elle, toute la confrérie des dormeuses semble soudain reprendre conscience. C'est l'heure du réveil, avec ses raclements de gorge et ses mouchages. Des mioches braillent. Les mères distribuent des taloches. Le gardien ouvre les portes, de l'extérieur, sur un flot d'air froid et de lumière. Les miasmes de la nuit s'envolent. La journée commence par la visite de l'infirmier qui apporte la collation du matin. Un jus noir et tiède, au goût de fer-blanc, et un morceau de pain de seigle. Youri, Douniacha et Sonia se jettent dessus avec voracité. Maman, elle, refuse d'avaler quoi que ce soit. Le visage en feu, les yeux exorbités, elle halète. Pourquoi le docteur ne vient-il pas ? Douniacha envoie Youri à sa recherche. Il intercepte le médecin au moment où celui-ci sort de la baraque numéro 3. C'est un grand échalas, raide et glabre, qui porte une blouse blanche par-dessus son uniforme. Il baragouine quelques mots de russe et de français. Agenouillé devant maman, il lui fait ouvrir la bouche, l'ausculte rapidement sans la dévêtir et conclut :

— Grippe espagnole, *Gnädige Frau !*

— Que devons-nous faire ? demande Dounia-cha.

— Rien, répond le médecin. Nous manquons de médicaments.

— Il faudrait au moins de la quinine...

— Impossible... Je regrette...

— Alors, à quoi ça sert de nous mettre en quarantaine ? C'est ici qu'on l'attrape, votre saleté de grippe !

— Ordre du commandant. Je ne fais qu'o-béir...

Il s'incline, claque des talons et repasse la porte.

Maman délire. Les prunelles brillantes, elle appelle papa et balbutie des mots de tendresse éperdue :

— Prends-moi dans tes bras, mon chéri ! Serre-moi fort ! Tes baisers me ressuscitent ! Encore ! Encore !...

Ses mains tremblantes retroussent sa jupe. Douniacha rabat violemment le pan d'étoffe et envoie les enfants jouer dans la cour.

Une mince pellicule de neige couvre la terre et les toits. Près des cuisines, un groupe de civils s'affaire. Ce sont les hommes de corvée, prélevés sur les occupants valides des différentes baraques. Les uns fendent des bûches avec une hachette pour faire du petit bois, d'autres trimbalent des seaux de toile pleins d'une eau grasse, d'autres encore, attelés à des chariots, traînent des chargements de caisses vers la maison du commandant. Des sentinelles hurlent dans leur dos pour les exciter à l'ouvrage.

Non loin de là, des enfants de réfugiés jouent à la guerre civile. Apercevant Youri et Sonia, ils les invitent à les rejoindre. Divisés en deux camps, les uns ont pris des noms de chefs bolcheviques, les autres de chefs blancs. Un garçon déluré et braillard propose à Youri d'être le général Dénikine. Youri accepte d'enthousiasme. Il a entendu parler des succès du fameux organisateur des armées de volontaires. De la tête et des muscles, il se sent capable de tenir son rôle dans la bagarre. Sonia doit se contenter, comme les autres filles, d'un rôle d'infirmière.

On se bat à coups de bâton, à coups de poing, à coups de pied. Un grand type efflanqué, qui doit avoir au moins treize ans, s'est confectionné une fronde et lance des pierres dans le tas. Par bonheur, il n'atteint personne. Des clameurs fusent :

— A bas le tsar !

— A bas Lénine !

D'un côté, on chante *L'Internationale* et, de

l'autre, *Dieu protège le tsar.* Deux soldats allemands, les mains sur les hanches, observent la scène en rigolant. Un garçon au genou écorché est soigné par Sonia. Youri trouve qu'elle met trop d'empressement à laver la plaie. Il lui crie :

— Ça suffit, Soniouchka !

Elle continue à s'occuper de son blessé. Et, comme Youri s'avance vers elle pour lui expliquer qu'elle aurait mieux à faire, il reçoit, parderrière, un coup de gourdin sur la tête. Le crâne endolori, il pivote sur ses talons et se rue sur son agresseur. Tous deux roulent dans la neige boueuse. Ivre de rage, Youri parvient à plaquer l'ennemi sur le dos. Autour de lui, on vocifère :

— Trotski est tombé ! C'est Dénikine qui a le dessus ! Vive Dénikine !

Il se relève, tout flambant de fierté. Quelle bonne journée ! Sonia, subjuguée, sourit au vainqueur. Il se dépêche de retourner à la baraque numéro 5 pour raconter son exploit à maman. Mais elle l'entend à peine. Elle suffoque, elle divague. Décidément, il n'y a jamais de joie sans mélange.

La fièvre de maman persiste. Chaque jour, Youri et Sonia vont traîner du côté des cuisines dans l'espoir d'en rapporter un peu de pain noir ou une pomme de terre bouillie. Un des cuistots allemands les a pris en sympathie. Il s'appelle Karl Fröhlich, a une longue tête de mouton aux yeux tristes et parle le français. Le peu que Youri a appris de cette langue auprès de maman l'aide à échanger quelques mots avec lui. Karl Fröhlich dit qu'il est alsacien, qu'il déteste les Allemands parce qu'ils ont occupé son pays en 1870, qu'il a été mobilisé de force et envoyé sur le front de l'Est. Il dit aussi qu'il a laissé en Alsace un fils et une fille de l'âge de Youri et de Sonia. Cette circonstance le dispose à l'attendrissement. Il a la larme à l'œil et parle d'abondance, tandis que ses collègues se démènent dans un enfer de vapeur et de tintements de casseroles. Youri ne comprend pas tout ce que lui raconte l'Alsacien, mais fait mine de s'intéresser à son récit. Puis il essaie d'expliquer à Karl Fröhlich la détresse de sa famille depuis l'arrivée au pouvoir des bolcheviks. En apprenant que la mère de Youri est malade, Karl Fröhlich affirme que le seul remède efficace contre la grippe espagnole est le « schnaps », autrement dit la vodka. Baissant la voix, il avoue qu'il en fabrique lui-même secrètement, en délayant de l'alcool à 90° dans de l'eau bouillante et en y ajoutant une goutte de glycérine. Le tout provient de l'infirmerie où il a des amis. Mais cela coûte cher : il donne le prix en marks, le convertit en roubles.

— Nous pourrons payer ! déclare Youri, plein d'assurance.

Et il se dépêche de retourner à la baraque avec Sonia sur ses talons. Mise au courant des propositions du cuistot, Douniacha s'exclame :

— C'est inespéré !

Même le prix annoncé par Youri ne la rebute pas. Elle découd un bout de l'ourlet de sa robe et en tire quelques billets de banque. C'est elle, maintenant, le trésorier de la famille. Dès le début de sa maladie, maman lui a remis l'argent et les bijoux qu'elle portait dissimulés dans ses vêtements.

— Si je ne guéris pas, a-t-elle dit, tu t'occuperas de mon fils. Je te le confie.

Ces mots résonnent encore aux oreilles de Youri, tandis qu'il empoche le prix de la vodka. Maman est étendue sur le dos, anéantie, absente. Il refuse de croire qu'elle sera peut-être un jour emportée sur une civière, comme les deux femmes de la baraque qu'il a vues mourir le lendemain de son arrivée au camp. Vite, la vodka ! Il se rue dehors. Sonia le suit comme son ombre.

Karl Fröhlich n'a pas menti. Il emmène les enfants dans un hangar désaffecté, prend les billets de banque, les compte, les recompte sous le nez de Youri, décloue une planche de la cloison et tire du trou une bouteille pleine d'un liquide transparent et cachetée de cire noire.

— Voici le remède, dit-il. Et, en prime, je t'offre une petite boîte de quinine. Avec ça, ta mère sera vite sur pied !

Youri exulte : il a sauvé maman ! Dissimulant le flacon sous un pan de son paletot, il s'élance, avec la crainte de glisser dans la neige, de trébucher. Quel malheur s'il venait à casser la bouteille !

Séance tenante, Douniacha fait avaler à maman un cachet de quinine et une bonne rasade de vodka. Youri voudrait que l'effet fût immédiat. Mais la malade s'étrangle, tousse et retombe, frissonnante, sur sa paillasse. Douniacha insiste pour que Sonia et Youri retournent jouer dans la cour.

Or, cette fois-ci, les enfants des baraques n'ont pas le cœur à s'amuser. Celui d'entre eux qui « faisait » Lénine est mort dans la nuit de la grippe espagnole. Ne vont-ils pas tous y passer ? Curieusement, Youri n'a pas peur. Il lui semble que, quoi qu'il arrive, rien ne le séparera jamais de maman, de Douniacha, de Sonia. Même dans l'autre monde ils seront ensemble. Il le dit à Sonia, et elle l'approuve, le visage rayonnant d'une confiance surnaturelle.

Les jours suivants, maman a l'air d'aller mieux. Elle somnole tout au long des heures et ne tousse presque plus. L'ennui, c'est que, dès le crépuscule, les rats envahissent la baraque. Ils trottent en rasant les murs, furètent dans tous les coins où traînent des détritus, reniflent insolemment de leur museau pointu les pieds des femmes et des enfants couchés dans la pénombre, poussent de petits cris aigres et détalent, la queue souple, au moindre mouvement d'un dormeur.

Pour se débarrasser d'eux, Youri va, une fois de plus, demander conseil à Karl Fröhlich. Le cuistot est véritablement un homme de ressources. Par amitié pour Youri, il accepte de lui vendre un piège à rats de sa fabrication. Douniacha ayant consenti à l'emplette, elle tire encore un peu d'argent de l'ourlet de sa robe et Youri revient avec l'engin. On l'essaie immédiatement, mais les rats se méfient : ils s'approchent, hument, remuent les moustaches et s'en vont, dédaignant le bout de lard rance qui sert d'appât.

— Nous ne devons pas savoir nous en servir, décide Youri. Il faut que j'en reparle à Fröhlich.

Il retourne aux cuisines. Mais son ami n'est plus là. Le chef d'équipe, qui parle un peu le russe, lui explique que Karl Fröhlich a été réquisitionné, avec deux de ses camarades, par le médecin militaire, pour un travail délicat.

— Quel travail ? demande Youri.

Le chef d'équipe étale un large sourire et, passant rudement la main dans les cheveux de Youri, répond :

— Tu le sauras toujours assez tôt !

Comme Youri revient, perplexe, à la baraque, l'interprète du camp y pénètre derrière lui. C'est un petit homme pâle et frileux, dont l'uniforme vert-de-gris semble flotter sur un portemanteau. Il parle correctement le russe et annonce que, par ordre du commandant, pour éviter la contagion et la pouillerie, les hommes et les enfants auront les cheveux tondus ras. Seules les femmes et les jeunes filles de plus de seize ans seront, par galanterie, dispensées de se soumettre à cette mesure sanitaire. Youri accueille la décision par un éclat de rire. Il y voit une bonne farce. Mais son regard se porte sur Sonia et sa gaieté retombe. En entendant la sentence, Sonia a tressailli des épaules. Elle blêmit, arrondit les yeux et lève instinctivement les deux mains vers ses tempes.

— Des soldats viendront chercher les hommes et les enfants à partir de midi pour les conduire chez les coiffeurs, conclut l'interprète. Aucune excuse ne sera admise !

Un silence stupéfait l'accompagne jusqu'à la porte, qu'il franchit d'un pas d'automate. Aussitôt après, la baraque se répand en exclamations discordantes. Les garçons rigolent. Les filles protestent. Youri se penche vers Sonia, qui a caché son visage dans ses dix doigts. Il l'entend pleurer doucement. Alors, retenant son souffle, il lui effleure les cheveux d'un baiser maladroit.

Trois cuistots ont été choisis pour manier la tondeuse. Ils ont commencé par les hommes. Puis ils se sont attaqués aux garçons. Les filles attendent dehors en piétinant dans la neige. Des soldats les entourent, afin qu'elles n'aient pas la tentation de fuir. Est-ce pour les laisser le plus longtemps possible avec leurs beaux cheveux qu'on a décidé de les accommoder en dernier ? Youri a demandé à être déplumé par Karl Fröhlich. L'opération se déroule dans un local exigu, proche de la fosse d'aisance. Une odeur nauséabonde filtre à l'intérieur du réduit. Le sol est recouvert d'un tapis de mèches brunes, blondes, châtains et grises qui se mêlent en misérables diaprures. De temps à autre, l'un des coiffeurs refoule la jonchée à coups de balai dans un coin de la pièce. La tondeuse de Karl Fröhlich doit être vieille et émoussée, car elle arrache les cheveux plus qu'elle ne les coupe. A chaque passage des lames sur son crâne, Youri pousse un cri de douleur. Karl Fröhlich rit grassement :

— Tu es bien douillet !

Il n'y a pas de miroir dans la bicoque. Mais, au fur et à mesure que l'Alsacien avance dans son travail, Youri sent sa tête devenir plus légère. Il se tortille sur son tabouret.

— Tiens-toi tranquille ! grogne Karl Fröhlich. Autrement, il y aura des poils qui resteront. Ce ne sera pas beau.

— Et là, c'est beau ?

— C'est net, c'est propre !

A côté de Youri, deux gamins subissent le même sort. Il les regarde et leur trouve un air malade, avec leurs gros crânes aux trois quarts dénudés. Est-il aussi laid qu'eux ? Il décide que cela n'a aucune importance, puisqu'il est un homme. La coquetterie, c'est l'affaire des femmes. Elles n'ont que leur reflet dans la glace pour se distraire. Enfin, Karl Fröhlich recule d'un pas, examine son œuvre et annonce :

— Je te libère ! Au suivant !

La chevelure de Youri gît à ses pieds, massacrée. Il se lève et un garçon inconnu prend sa place. C'est le dernier de la série. Les filles viendront aussitôt après.

En remettant son chapeau sur sa tête, Youri constate qu'il est trop large. L'air du dehors lui gèle les tempes. Il contourne le groupe des filles et se poste à l'écart pour attendre la sortie de Sonia, qui n'est pas encore passée à la tondeuse. Elle est la troisième de la rangée. Quand son tour arrive, elle pénètre dans la cabane avec un air de sombre résignation, comme quelqu'un qui va au supplice. Youri a pitié d'elle. C'est si important, les cheveux, pour une femme ! Une fois qu'elle a disparu, il demeure les yeux rivés sur la porte. Il lui semble que l'opération dure plus longtemps pour les filles : normal, avec tout ce qu'elles ont comme cheveux ! Et pourtant il s'inquiète. Les autres garçons ont déjà regagné leurs baraques respectives. Un soldat, qui l'observe depuis un moment, lui fait signe de s'en aller, lui aussi. Youri secoue la tête négativement. Et soudain le cœur lui manque : Sonia ! Mais est-ce bien elle, cette fille à la tête rasée qui s'avance à petits pas dans la lumière du jour finissant ? Ses prunelles sont noyées de larmes, sa bouche se crispe dans une grimace de douleur. Il devrait se désespérer comme elle et, bizarrement, il éprouve à sa vue un redoublement de tendresse et d'admiration. Elle lui paraît même plus belle qu'auparavant, plus mystérieuse. Sous le crâne dénudé, ses yeux se sont comme agrandis, approfondis, illuminés.

Chauve, elle n'est que regard. En apercevant Youri, elle court vers lui et se jette contre sa poitrine. Il la berce avec une douceur fraternelle.

— Je suis affreuse ! gémit-elle.

— Mais non, idiote ! répond-il. Ça te va très bien ! Je t'aime beaucoup comme ça ! Et puis ça repoussera vite, tu verras !

Il la ramène, titubante de chagrin, à la baraque. En découvrant le nouvel aspect de sa fille, Douniacha ne peut s'empêcher de rire :

— Comme ils t'ont arrangée, ma pauvre petite ! Mais ne t'en fais pas ! Je vais te confectionner un turban avec mon écharpe. Tu seras superbe ! Et puis, les cheveux, ça repousse !

— C'est ce que je lui ai dit, intervient Youri.

— Toi non plus, tu n'es pas mal ! s'exclame Douniacha en lui retirant son chapeau. Tu fais plus vieux et plus sérieux. On dirait un ministre ou un général... Montre-toi à ta mère !

Cette injonction étonne Youri. Il a laissé maman prostrée, ne voyant rien, ne comprenant rien. Il la cherche du regard dans la pénombre et la découvre assise sur sa paillasse, les yeux écarquillés, la respiration sifflante. Elle ne semble même pas remarquer que son fils a été tondu. Un étrange sourire aux lèvres, elle murmure :

— Tu sais, Youri, je crois que je suis guérie...

— Eh oui ! s'écrie Douniacha. C'est la surprise : la fièvre est tombée brusquement. Le médecin est venu en votre absence à tous les deux et a confirmé que Marie Vassilievna était hors de danger. Avec un peu de chance, nous pourrons repartir la semaine prochaine !

Youri est inondé de joie, mais Sonia se rembrunit.

— La semaine prochaine, mes cheveux n'auront pas repoussé ! proteste-t-elle.

— Ah ! pour ça non ! dit Douniacha.

— Alors je ne partirai pas !

— Tu es folle ?

— Je ne veux pas avoir l'air ridicule devant tout le monde !

— Mais tu n'auras pas l'air ridicule, puisque je te répète que je te ferai un turban !

— Alors, fais-le-moi là, maintenant ! Je veux le porter tout le temps ! Ici et dehors ! Qu'il fasse chaud ou qu'il fasse froid !

— Tu sais, Soniouchka, hasarde Youri, moi, je trouve que tu as tort... Tu es... magnifique... Tes yeux surtout...

— Tu n'y connais rien ! glapit Sonia en trépignant.

Youri se trouble sous le regard ironique de Douniacha et retourne à la cour où ses camarades tondus se sont relancés dans les poursuites, les empoignades et les cris d'une guerre civile pour

166

rire. Mais il n'a nulle envie de se mêler à eux. En quelques heures, il a perdu le goût de ces enfantillages. Tout à coup, il se demande s'il est souhaitable que les cheveux de Sonia repoussent.

X

Bien qu'à peine convalescente, maman a voulu se remettre en route dès que le médecin du camp lui en a donné l'autorisation. Un chariot de paysan a transporté la famille jusqu'à la ville voisine de Bielgorod. Là, on a repris le train pour Kharkov. Encore une centaine de verstes en wagon à bestiaux. Cela ne déplaît pas à Youri. A force de voyager ainsi, il a pris goût au vacarme des roues, aux haltes imprévues en rase campagne et même à la promiscuité des passagers mal lavés. Au deuxième jour, lors d'un arrêt dans une petite gare, un télégraphiste jaillit de son bureau et court le long du convoi en brandissant une dépêche. Passant devant les voitures, il hurle :

— La France a gagné la guerre ! Les Allemands viennent de signer l'armistice !

Oubliant sa faiblesse, maman se réjouit de la nouvelle. Mais, autour d'elle, les gens sont déçus : ce n'est que ça ! On s'y attendait depuis des semaines. Et la France est si loin ! Douniacha murmure :

— Qu'est-ce que ça change pour nous, barynia ?

De nombreuses voix la soutiennent :

— C'est leur affaire, pas la nôtre !

— Comme toujours, la Russie paiera pour le reste du monde !

— Nous avons notre guerre à nous, entre frères ; celle des étrangers, on s'en fout !

— Qu'ils signent tout ce qu'ils voudront, là-bas, mais qu'ils nous donnent du pain !

Maman convient devant Douniacha que sa principale préoccupation n'est pas la fin des hostilités entre les Alliés et les Allemands, mais la rencontre imminente avec papa, qui l'attend depuis si longtemps à Kharkov. Par chance, elle a pu lui télégraphier de Bielgorod pour l'avertir de leur arrivée à tous. Peut-être les accueillera-t-il sur le quai ?

Quand le train repart, Youri essaie de se persuader qu'à l'instant même où ils auront retrouvé papa tous les problèmes seront résolus. Sonia, sous son turban vert chou, a de nouveau le sourire. Elle dit :

— Alexandre Borissovitch sera étonné de me voir comme ça !

Elle ramène tout à elle. C'est le propre des femmes, pense Youri avec une tendresse moqueuse.

Le train rampe. Quand atteindra-t-on Kharkov ? Dans un jour, dans deux jours ? Plus on se rapproche du but, plus l'attente devient insupportable. Soudain la locomotive accélère. Le convoi tremble en franchissant des aiguillages.

— Kharkov ! Kharkov ! crient les voyageurs, comme s'ils apercevaient la terre ferme après une longue traversée en mer.

Tous se précipitent aux portières. Douniacha joue des coudes et parvient à se pousser au premier rang avec Youri. Le quai défile devant leurs yeux. Une marée humaine guette les arrivants. Rien que des inconnus. Maman, qui est restée derrière, demande avec angoisse :

— Tu le vois, Douniacha ?

— Non, barynia... Pas encore...

Après avoir ralenti, le train stoppe dans un entrechoquement de tampons qui déséquilibre les passagers. Les plus agiles sautent à terre, empoignent leurs bagages et se perdent dans la foule. Douniacha aide maman à descendre. Youri et Sonia coltinent valises et balluchons. Assourdi par les coups de sifflet, les chuintements de la vapeur et le grondement sourd de la multitude, Youri interroge d'un regard anxieux les visages qui déferlent autour de lui. Peu à peu, le flot humain tarit, le quai se vide. Immobiles au milieu d'un espace mort, maman, Douniacha, Sonia et Youri se rendent à l'évidence : papa n'est pas venu !

— Il a dû être empêché, soupire maman. Ou bien il n'a pas reçu mon télégramme. Heureusement, j'ai son adresse. Allons-y !

Douniacha se fait fort de découvrir un fiacre. Il n'y en a pas sur l'esplanade de la gare. Et les tramways qui vont au centre de la ville sont rares et bondés. Mais un paysan, assis sur le siège de sa charrette, accepte de charger les voyageurs moyennant cinq roubles par personne. Douniacha a beau marchander, il ne baisse pas son prix. Alors, elle se résigne.

Entre-temps, maman s'est recoiffée et a mis de la poudre sur ses joues et du rouge sur ses lèvres. L'impatience la rend belle, malgré sa fatigue. Elle grimpe dans la carriole et rit d'être cahotée sur les pavés. Tout lui semble merveilleux à Kharkov, puisque papa y habite. Le paysan, qui connaît bien les lieux, conduit rapidement ses clients jusqu'à la rue Nicolaïevskaïa où papa a élu domicile. C'est une grande maison à la façade sévère, peinte en jaune. Au-dessus de la porte, un écriteau aux lettres d'or écaillées : *Hôtel des Cinq Continents*. Quelques fenêtres ont eu des vitres brisées. Des montagnes de détritus encadrent le perron. Sans doute ne ramasse-t-on plus les ordures dans la ville. Par prudence, Douniacha demande au paysan de rester sur place tandis que la famille va aux renseignements.

Un concierge rogue trône derrière son comptoir. Il est vieux, chauve et porte une livrée aux galons ternis. En apprenant que les visiteurs sont venus voir Alexandre Borissovitch Samoïlov, son expression devient obséquieuse et il se désole :

— Alexandre Borissovitch a quitté l'hôtel, depuis une semaine.

— Avez-vous sa nouvelle adresse ? demande maman d'une voix altérée.

— Il est parti pour Odessa.

— Mais pourquoi ? Pourquoi ? gémit maman en portant un mouchoir à ses lèvres.

— Ça, je ne sais pas. En tout cas, il vous a laissé une lettre.

Le concierge tend une enveloppe à maman qui la décachète nerveusement. Deux feuillets à l'écriture serrée. Elle les lit d'une traite et rejoint Douniacha et les enfants qui sont restés sur le seuil.

— Il a dû fuir parce que des agents bolcheviques envoyés par Moscou, à l'instigation de cet

173

horrible Kolybelev, étaient sur ses traces, chuchote-t-elle. D'un jour à l'autre, on pouvait l'arrêter, l'emprisonner. Il me demande de lui écrire à Odessa, poste restante, et de le rejoindre au plus vite. Pour obtenir les visas de transit, nous devons nous adresser à un certain Vladimir Vladimirovitch Javoronkov. Il me donne son adresse et me conseille de ne pas discuter le prix qu'il exigera... Et voilà, j'avais tant espéré le revoir ici, et tout s'effondre !... Faites ce que vous voulez, moi je n'ai plus de courage, plus de force, plus de tête !...

Elle s'adosse au mur et les larmes jaillissent de ses yeux, délayant la poudre. Youri lui baise les mains en balbutiant :

— Maman, maman, tout va bien puisque papa t'a écrit !

— Youri a raison, dit Douniacha. L'essentiel est que nous soyons rassurés sur le sort d'Alexandre Borissovitch. Dès demain, j'entreprendrai les démarches nécessaires et je vous jure que nous arriverons à nos fins. Odessa n'est pas le bout du monde et ce Vladimir Vladimirovitch Javoronkov doit avoir le bras long !

A demi rassérénée, maman s'enquiert :

— Où logerons-nous en attendant ?

— Ici, si vous voulez bien, dit le concierge qui s'est rapproché d'eux. Avant de partir, Alexan-

174

dre Borissovitch Samoïlov a réglé la location pour vous jusqu'à la fin du mois.

— Vous voyez que tout s'arrange ! s'écrie Douniacha.

Le concierge, définitivement amadoué, aide à décharger les bagages. Il en est récompensé par un bon pourboire. C'est Douniacha qui lui glisse l'argent dans la main. « Maman a raison, pense Youri : que ferions-nous sans Douniacha ? »

Puis le bonhomme les conduit à leur chambre. L'hôtel est vétuste, sordide et glacé. Des pots à eau, des chiffons, de vieux journaux traînent devant les portes.

— Il n'y a plus personne pour faire le ménage ! soupire le concierge. Alors tout se détériore. Encore heureux qu'on ne nous ait pas réquisitionnés !

— Qui commande dans la ville ? interroge Douniacha.

— On ne sait plus : tantôt les Allemands, tantôt les bolcheviks, tantôt les brigands de Petlioura... Si vous pouvez vous arranger pour partir, faites-le vite !

La chambre louée par papa porte le numéro 27. Elle est petite, avec deux lits jumeaux et deux paillasses posées sur le plancher. Un carreau de la fenêtre a été remplacé par un rectangle de carton. La glace, au-dessus du lavabo, est piquée de chiures de mouches. L'unique chaise est défoncée et la table tient en équilibre sur quatre pieds inégaux. Mais, après les wagons à bestiaux et le camp de quarantaine, Youri est ébloui par la commodité et le luxe de l'endroit.

— Nous serons rudement bien, ici ! s'exclame-t-il.

— Oh ! oui ! renchérit Sonia. J'ai même vu, en passant, qu'il y avait de vrais cabinets au bout du couloir !

Maman sourit tristement et Douniacha se met en devoir de déballer les valises.

— Pourquoi fais-tu ça ? demande maman. Nous allons repartir bientôt...

— Je ne le crois pas, barynia ! dit Douniacha.

Maman est si lasse qu'elle passe toutes ses journées dans la chambre, allongée sur son lit, tandis que les enfants s'amusent dans un coin à attraper des mouches et à les emprisonner sous un verre. Il leur est interdit de sortir en ville, car les rues ne sont pas sûres. En revanche, Douniacha s'absente du matin au soir pour tenter d'obtenir les visas nécessaires. Elle a rencontré Javoronkov à plusieurs reprises et pense, comme papa, que cet homme énigmatique peut être d'un grand secours dans la préparation du voyage.

Cependant, à la mi-décembre, rien n'est encore réglé. Maman s'impatiente d'autant plus qu'aux dernières nouvelles des troupes françaises ont débarqué à Odessa et que, grâce à elles, l'ordre et l'espoir sont revenus dans la ville. Si les Français aident l'armée blanche à refouler les bolcheviks, la Russie est sauvée. Il est donc plus nécessaire que jamais, dit maman, de se réfugier dans le Sud, sous la protection de la France. En entendant cela, Douniacha hausse les épaules avec agacement. C'est la première fois que Youri lui voit cet air de légère révolte. Comme si elle-même maintenant avait le droit de manifester sa mauvaise humeur. Mais elle se reprend vite, sourit à nouveau et promet d'insister auprès de Javoronkov pour qu'il fasse intervenir toutes ses relations politiques.

— Vous savez, dit-elle, il doit se montrer à la fois très résolu et très prudent pour ne mécontenter personne.

— Mais qui est-il au juste, ce Javoronkov? demande maman. Un rouge, un blanc?

— Ni l'un ni l'autre. Il se tortille entre les deux, répond Douniacha.

Elle rit et maman rit, elle aussi, heureuse d'avoir une si bonne amie. Puis maman annonce qu'en prévision de leur départ pour la « zone française » elle va reprendre ses leçons de français aux enfants.

A dater de ce jour, Youri et Sonia sont soumis à un enseignement accéléré. Cette occupation divertit maman, qui, entre deux lettres à papa, joue au professeur. Guidés par elle, Youri et Sonia apprennent vite. On s'amuse à ne parler que le français pendant les repas, pris dans la chambre, sur la table bancale. C'est le concierge qui, tant bien que mal, ravitaille la famille. L'essentiel est constitué par des œufs et des macaronis. Au cours de ces maigres agapes, Douniacha, qui sait quelques mots de français, tente de se mêler à la conversation, mais ses fautes font pouffer tout le monde.

Le 22 décembre, Douniacha revient de ses courses en ville avec un visage de fête : Javoronkov a pu se procurer tous les papiers nécessaires. De son côté, elle s'est abouchée avec des personnes « très convenables », selon sa propre expression, qui ont loué, à leurs frais, un wagon de première classe. Ainsi, grâce à une participation raisonnable aux dépenses, pourra-t-on voyager jusqu'à Odessa dans des conditions tout à fait correctes.

— Avec un peu de chance, nous y serons pour le Nouvel An, décrète-t-elle.

A ces mots, maman semble brusquement rajeunie, guérie, galvanisée. Papa n'a répondu à aucune de ses lettres. Mais sans doute ne les a-t-il même pas reçues. Le courrier ne passe qu'irrégulièrement entre Kharkov et les villes du bord de la mer Noire.

— Il faudrait lui télégraphier que nous arrivons ! s'écrie-t-elle.

— J'en ai parlé à Javoronkov, dit Douniacha. Il s'en occupera, le moment venu.

— Oh ! merci, merci, une fois de plus, balbutie maman. Tu es notre Providence !

— C'est Javoronkov qui est notre Providence, corrige Douniacha.

Pleurant de bonheur et de gratitude, maman s'agenouille au milieu de la chambre d'hôtel. Mais il n'y a pas d'icône au mur. D'instinct, elle se tourne vers la seule image de la pièce, une gravure en noir et blanc représentant Catherine la Grande sur son trône, et prie avec dévotion.

Le wagon de première classe a été accroché en queue d'un convoi composé de wagons à bestiaux. Le menu fretin s'entasse, comme par le passé, dans les voitures réservées au transport des animaux et des marchandises, tandis que les « bourgeois », qui se sont cotisés, s'installent le plus discrètement possible dans des compartiments aux banquettes rembourrées. Youri se rappelle que, au moment de leur départ pour Moscou, maman avait exigé que Douniacha recouvrît les sièges d'un drap propre avant d'y faire asseoir les enfants. Cette fois, elle se laisse tomber sur les coussins graisseux sans se préoccuper de leur saleté. La personne la plus sensible au confort de la première classe paraît être Sonia. Ayant inspecté le compartiment d'un regard circulaire, elle déclare :

— Comme ça, c'est tout à fait civilisé !

Youri, lui, regrette un peu le désordre du wagon à bestiaux, qui sentait l'improvisation, le danger, l'aventure. Ayant rangé les valises dans le porte-bagages, Douniacha s'approche de la fenêtre. Un visage d'homme apparaît de l'autre côté de la vitre : il est jeune, avec une petite moustache rousse, des bésicles, un paletot à col de velours noir et une casquette à carreaux.

— C'est Javoronkov ! dit Douniacha. Il est venu nous souhaiter bonne route.

Elle agite la main. Maman se dresse à son tour et sourit, avec une inclinaison de tête, à ce personnage qu'elle ne connaît pas et qui s'est montré si serviable et si efficace. Une cloche tinte. Javoronkov soulève sa casquette. Encore deux sonneries d'avertissement et le train démarre, traversé par de puissantes et brèves secousses.

On est partis depuis moins d'une heure : maman somnole, soulagée, comme elle dit, de voyager enfin avec des gens de son monde ; la locomotive tire son chargement sans effort et à bonne allure ; pour distraire les enfants, Douniacha leur propose d'étaler une réussite. Au moment où elle commence à battre les cartes, un formidable choc ébranle le wagon qui craque, oscille et se couche sur le flanc. Les valises tombent du porte-bagages, tandis que le convoi ralentit, patine et s'arrête. On hurle, on gémit dans les compartiments voisins. Maman, qui a roulé par terre, s'écrie :

— Le train a déraillé ! Nous sommes perdus ! Yourotchka, Douniacha, Sonia ! Vous n'êtes pas blessés, au moins ?

Douniacha la tranquillise : tout le monde est sain et sauf. Mais il faut au plus vite sortir de là. Youri le premier se remet debout. Il ne ressent qu'une légère douleur dans la hanche. Et il n'a même pas eu le temps d'avoir peur. Par bonheur, le train s'est affalé sur le côté opposé au couloir, ce qui laisse un libre accès aux portières, à condition de faire un peu de gymnastique. A peine Youri est-il arrivé à cette conclusion que les événements se précipitent. Des gens s'agitent à l'extérieur. On interpelle les voyageurs prisonniers du wagon accidenté. On leur crie des encouragements et des explications. Qu'ils se rassurent : c'est seulement la voiture de première classe qui a déraillé ; un essieu fatigué s'est rompu en pleine course ; que voulez-vous ? les cheminots ne font plus leur travail ; le matériel roulant n'est pas vérifié au dépôt avant d'être remis en service ; par chance, le reste du train est intact ; on décrochera la voiture endommagée ; les personnes qui s'y trouvent seront casées dans les autres wagons ; après quoi, on continuera la route vers Odessa. Déjà des mains secourables se tendent vers les portières ouvertes en hauteur. L'un après l'autre, les passagers sont hissés dehors. Maman veut que Youri sorte le premier. Mais il refuse avec dignité : les femmes d'abord, comme sur un bateau en perdition. C'est donc maman qui, aidée de Douniacha, escalade un tabouret providentiel et émerge à l'air libre. Sonia et Douniacha la suivent. Quand il est sûr qu'elles sont toutes les trois hors de danger, Youri, à son tour, abandonne l'épave du navire.

C'est avec des quolibets que les hôtes des wagons à bestiaux saluent ce supplément de voyageurs opulents :

— Arrière, les bourgeois !

— On est déjà trop nombreux ! On étouffe !

— Même si tu essayais de glisser une noisette entre nous, tu n'y parviendrais pas !

— Vous avez voulu voyager sur du mou, eh bien, attendez qu'arrive un autre wagon de première !

Malgré le concert de protestations qui accueille les naufragés, le chef de train obtient qu'ils soient répartis entre cinq wagons à bestiaux.

Celui qui reçoit maman, Douniacha et les enfants paraît un peu moins chargé que les autres. Les occupants se serrent en maugréant pour leur permettre de s'asseoir sur leurs valises. Encaqué dans cette foule hostile, Youri a l'impression qu'il y est plus à sa place que dans le wagon de première. Avec ce retour à la misère et à l'inconfort, tout, lui semble-t-il, rentre dans l'ordre. Pour des raisons mystérieuses, il faut qu'il en soit de la sorte, si l'on veut qu'un grand et durable bonheur les attende dans l'avenir. Les yeux de Sonia luisent à travers la pénombre sous son turban vert chou.

— Tu as cru qu'on allait mourir ? dit-il en lui prenant la main.

— Un peu. Mais c'est vite passé. Maintenant je n'ai plus peur !

Il murmure comme à regret :

— Bientôt la fin du voyage !

Elle lui lance un regard incisif et répond à mi-voix :

— Il n'y aura pas de fin du voyage !

Il est six heures du soir quand la locomotive entre, soufflant et sifflant, dans la gare d'Odessa. Comme à Kharkov, Youri se faufile avec Douniacha pour accéder à la portière. Coincé entre des femmes qui piaillent et gesticulent parce qu'elles ont aperçu un des leurs dans la foule, il cherche des yeux, avidement, le seul visage dont la vue pourrait justifier l'interminable exode de la famille. Mais le quai est peuplé d'inconnus qui se succèdent sans interruption au rythme lent et saccadé du convoi. Alors que Youri est sur le point de désespérer, le train s'arrête. Regardant droit devant lui, il doute de ses yeux. Son cœur bat à coups précipités. Juste en face du wagon, une silhouette familière. Papa s'est laissé pousser la barbe et tient à la main un chétif bouquet de roses.

XI

Deux chambres minuscules, dans un garni tenu par un vieux juif, au fin fond du faubourg Vorontsovaïa, c'est tout ce que papa a pu découvrir pour loger la famille. L'une de ces chambres est réservée aux parents, l'autre aux enfants et à Douniacha. Mais, dans cette dernière pièce, il n'y a pas de lit pour Youri. Il doit coucher par terre, sur un matelas, tandis que Sonia dort avec sa mère. Souvent, la nuit, il se dresse sur un coude pour les entendre respirer l'une contre l'autre, comme deux sœurs. Quand elles font leur toilette, il sort dans le couloir. Une fois, Sonia a retiré son turban pour lui montrer que ses cheveux repoussaient. Ce n'est encore qu'un duvet, mais elle a repris confiance. Lui se demande s'il ne la préférait pas avant.

Après avoir connu l'allégresse des retrouvailles avec son père, il juge la vie à Odessa étrangement paisible et monotone. Il est défendu aux enfants de traîner dans les rues, parce qu'ils risquent de se perdre dans cette grande cité surpeuplée où les attentats et les rapts sont nombreux, malgré la présence des troupes françaises. Tout au plus ont-ils le droit de prendre l'air, pendant une heure, dans les allées du jardin municipal, près de la gare aux Marchandises. Douniacha les accompagne parfois. Mais, la plupart du temps, elle est prise par des rendez-vous qu'elle a en ville, afin, dit-elle, de régulariser leur situation à tous auprès des autorités. Cette activité la rend très gaie. Elle tourne les choses les plus importantes en plaisanterie et regrette de n'avoir emporté que deux robes, alors qu'ici les femmes s'habillent même pour faire une course chez l'épicier du coin. Papa et maman sortent de leur côté avec des mines d'amoureux. Leur longue séparation les a rajeunis. A tout propos, ils se sourient, les yeux dans les yeux, et se prennent la main. Il leur arrive même de s'embrasser devant les enfants avec beaucoup de tendresse.

A la demande de maman, papa s'est rasé la barbe. Il est enjoué, optimiste et affirme que les Français et les Anglais ne laisseront pas la Russie sombrer dans le communisme. Youri a rencontré des soldats français dans le jardin municipal. Il a admiré leurs uniformes bleu pâle et leur air propre et dispos. Manifestement, ce sont de vrais vainqueurs. Papa a raison : tant qu'ils seront là, on n'aura pas à craindre pour sa vie. Papa fonde les plus grands espoirs sur un certain général d'Anselme, commandant de la garnison française, qui, d'après lui, n'hésitera pas à affronter les bolcheviks si ceux-ci osent marcher sur Odessa. Pourvu, dit-il, que ce brave homme ne tombe pas sous l'influence de l'un des nombreux groupements politiques russes qui se disputent dans la ville ! Entre les blancs pas tout à fait blancs, les prosoviétiques qui font patte de velours et les gens de Petlioura qui s'ingénient à brouiller les cartes, les Français ont un intérêt primordial à n'entendre que les partisans du général Dénikine, chef incontesté des volontaires du Sud. Tout cela, papa l'explique à table, avec passion, et maman l'écoute, extasiée. On prend les repas dans une gargote du quartier, qui, elle aussi, appartient au vieux juif tout cassé, tout moussu, propriétaire du garni. Maman aimerait un restaurant à la cuisine plus raffinée et à la clientèle moins vulgaire. Mais papa lui répond qu'il faut se restreindre par les temps qui courent, car, si la victoire des blancs est certaine, elle peut se faire attendre pendant des mois et, d'ici là, il faut vivre sur l'argent et les bijoux sauvés du désastre. Il appelle en riant cette réserve le « trésor de guerre ». Tout ce que les parents possèdent, ils l'ont dissimulé dans le mur de leur chambre, au fond d'un trou que masque habilement la glace du lavabo. Il leur suffit de dévisser une patte en métal servant de support et de faire pivoter la glace pour découvrir l'excavation. Youri les a surpris, un jour, fouillant dans la cachette, et papa lui a dit :

— Maintenant, tu connais notre secret. Garde-le pour toi. Je considère que tu es un homme. Tu as toute ma confiance !

Youri s'est jeté dans ses bras et l'a remercié de cette merveilleuse promotion. Mais il lui a fallu un grand effort de volonté pour n'en rien dire à Sonia.

Un soir enfin, cédant aux instances de maman, papa promet d'aller dîner avec elle dans un restaurant huppé du centre de la ville, où il y a, précise-t-il, des palmiers et un orchestre tzigane. Douniacha aide sa maîtresse à s'habiller. Certes, on n'a pas emporté de vêtements de gala dans la fuite. Mais, lorsque papa et maman apparaissent devant Youri, il est frappé par leur élégance. D'un seul coup, ils ont retrouvé leur allure des temps heureux. Coiffée, fardée, parfumée, maman n'a plus rien d'une victime de la révolution. Même sa robe de satin violet, cent fois portée, est comme neuve. Douniacha s'est fait prêter un fer par le vieux juif et l'a repassée avec dévotion.

Après le départ des parents, Sonia, Douniacha et Youri vont dîner tristement dans la gargote habituelle.

Tard dans la nuit, Youri est réveillé par des éclats de voix. Dans la chambre d'à côté, son père et sa mère se disputent. Il ne les a pas entendus rentrer. Bien que son matelas soit collé contre la cloison de séparation, il distingue d'abord mal le sens de la querelle. Puis le ton monte. Il semble que maman reproche à papa de s'être trop intéressé à une femme de la table voisine. Elle parle d'une voix aiguë, entrecoupée. Il répond précipitamment :

— Je t'assure que tu te fais des idées, ma chérie ! Je me suis comporté en homme bien élevé, c'est tout ! Je ne pouvais pas éviter de sourire poliment quand on me souriait...

La suite de l'altercation échappe à Youri. Il se rendort, inquiet.

Le lendemain, pendant le petit déjeuner, papa et maman sont figés l'un et l'autre dans un silence de glace. Ne vont-ils pas devenir des ennemis pour toujours ? Comment vivre entre des parents qui se détestent ? Muets et distants, ils sortent en ville chacun de leur côté. Douniacha s'éclipse à son tour pour ses fameuses « démarches administratives ».

Resté seul avec Sonia, Youri lui raconte ce qu'il a entendu hier, en appliquant son oreille au mur. Riant de sa naïveté, elle le rassure : ce genre de brouille est fréquent entre gens qui s'aiment ; les petites chamailleries sont même indispensables à l'entretien des grandes passions ; après qu'on s'est réconciliés, les sentiments sont rafraîchis comme l'herbe d'un jardin après l'orage... D'où sait-elle tout cela ? s'interroge Youri.

En effet, le soir même, au dîner, après un bref passage dans leur chambre, papa et maman se sourient de nouveau. Papa a même offert à maman une bague, qu'il a achetée dans l'après-midi à un autre réfugié. Maman la porte à son doigt, la contemple de temps en temps et son regard se voile d'une langueur que Youri juge très séduisante. Il se demande s'il ne devrait pas se disputer avec Sonia pour mettre du piment dans leurs relations. Il lui en parle, et elle le traite de fou, puis, ayant réfléchi, reconnaît que l'idée est bonne. Ils choisissent de s'affronter lors d'une promenade dans le jardin municipal. Tout à coup, alors qu'ils marchent côte à côte dans l'allée, Sonia s'arrête et, le regard furibond, la bouche tordue de colère, reproche à Youri de trop regarder les filles, de se conduire comme un mufle, d'être si infatué de sa personne qu'il en est ridicule et odieux. Elle met un tel accent de vérité dans son éclat qu'il se prend au jeu et riposte en l'accusant d'être une idiote aveuglée par la jalousie.

— Moi, jalouse de toi ? s'écrie-t-elle. Mais tu ne t'es pas regardé !

— Et toi ! rétorque-t-il. Pour qui te prends-tu ? Sache que tu n'es rien pour moi ! Rien qu'une fille qui n'a en tête que des idées de fille !

Lui ayant asséné cette phrase vengeresse, il craint d'y être allé trop fort. Ne risque-t-elle pas de s'offenser pour de bon ? Déjà, la face pâlie et contractée sous son turban vert, elle le brave du regard :

— Pauvre imbécile ! siffle-t-elle entre ses dents. Tout est fini entre nous !

Et, tournant les talons, elle s'enfuit vers la maison. A présent, se dit Youri, il me faut la reconquérir. Comme papa l'a fait avec maman. Un cadeau s'impose. Mais il ne possède pas un kopeck. Qu'à cela ne tienne ! Quand on a du courage et de l'invention, les obstacles tombent d'eux-mêmes. Vite, il échafaude un plan. Dans la rue Kosovskaïa, non loin du garni, il y a une petite librairie obscure et poussiéreuse. Le patron se trouve rarement dans sa boutique. C'est une vieille femme aux bandeaux blancs tirés sur les tempes et au nez crochu, chevauché de grosses lunettes, qui surveille les clients. Elle n'y voit goutte et se trompe toujours en rendant la monnaie. Papa lui achète parfois un journal. Youri entre d'un pas résolu dans l'échoppe. Le sort en est jeté : il ira jusqu'au bout. Mais brusquement la peur lui coupe les jambes. Impossible d'avancer ni de reculer. Alors il se domine, pense à Sonia qui vient de rompre avec lui et, d'un geste prompt, cueille un livre, au hasard, sur un rayon. Puis, l'ayant glissé sous son manteau, il continue à fureter dans la pièce. La vieille n'a rien vu. Il lui fait un sourire en passant et ressort. Ne va-t-elle pas s'apercevoir du larcin et crier au voleur ? Non, tout est calme là-bas. Il a réussi son coup. Une honte misérable se mêle à sa fierté. « Tout ça pour elle ! » se dit-il avec étonnement. Et, ouvrant son paletot, il abaisse un regard sur le livre qu'il a dérobé : un manuel d'arithmétique ! Tant pis ! Ce qui compte, ce n'est pas le cadeau, c'est le geste.

Il rentre en courant. Sonia est seule dans la chambre. Sans un mot, il jette le livre sur le lit.

— Qu'est-ce que c'est ? demande-t-elle.

— Pour toi !

Elle regarde le livre :

— T'es fou ?

— C'est tout ce que j'ai trouvé.

— Tu l'as acheté ?

— Non.

— Volé ?

— Oui.

Le visage de Sonia s'éclaire.

— Merci, dit-elle. Je ne le lirai pas, mais je le garderai toujours. En souvenir !

— Tu me pardonnes ?

— Bien sûr ! Nous sommes de nouveau amis. C'est la réconciliation !

Puis, ouvrant le livre, elle ajoute avec gravité :

— Écris sur la première page qu'il est pour moi. Tu signeras et tu mettras la date : 27 février 1919. Prends la plume de maman sur la table. Applique-toi !

Youri s'exécute, à la fois radieux et tremblant. Lorsqu'il a fini, elle lit la dédicace et embrasse Youri sur les deux joues. Il se laisse faire et déjà la bouche de Sonia glisse insensiblement vers sa bouche. Quand leurs lèvres se touchent, il respire un parfum de fraise et ferme les yeux sous l'excès de bonheur.

— Soniouchka, murmure-t-il, je t'aime !

— Moi aussi je t'aime !

— Nous ne nous quitterons jamais !

— Jamais !

— Peut-être même que nous nous marierons !

— Pourquoi pas ? dit-elle en se renversant sur le lit.

Il se couche sur elle, il hume son visage, son cou, et un fourmillement bizarre naît entre ses cuisses, tandis que quelque chose se raidit en lui et exige il ne sait quoi. Sa main s'aventure sous la jupe de Sonia. Elle se cambre et soupire :

— Non !

Son turban a roulé par terre. Elle offre aux baisers de Youri une figure de soumission, de consentement. Sous son crâne ombré de petits cheveux courts, le regard est immense.

— Comme tu es belle ! chuchote-t-il.

Soudain elle se dégage et bondit sur ses jambes : un pas dans le couloir.

— Maman ! dit-elle.

Et, saisissant un jeu de cartes, elle commence à l'étaler sur la couverture.

Froid, soleil et pas de neige : l'hiver, à Odessa, ne ressemble guère aux hivers de Koussinovo. Les gens que Youri et Sonia croisent dans le jardin municipal ne portent ni pelisses ni bonnets fourrés. Pourtant, ils n'ont pas l'air heureux. Rien qu'à les voir, on devine qu'ils ont faim, qu'ils manquent de bois pour se chauffer et qu'ils redoutent un assaut des bolcheviks contre la ville. Au milieu de cette détresse, Youri a l'impression que seuls Sonia et lui ont le droit de se réjouir. Après leur promenade quotidienne, ils regagnent vite leur chambre et là, enfin seuls, ils s'embrassent et se caressent. Ce sont des jeux qui charment et énervent Youri. Il a besoin de se frotter nu contre la peau de Sonia. Après l'avoir pétrie à pleins doigts et lui avoir léché le visage, les épaules, la poitrine, il retombe à côté d'elle, comblé et frustré, avec une terrible interrogation dans la tête. Est-ce là tout l'amour ? Ne faut-il pas tenter un geste qu'il ignore et qui scellerait leur union à jamais ? Parfois il ose déposer un baiser sur son nombril et, plus bas, sur son sexe doux, lisse et potelé comme un fruit. Aussitôt, elle serre les genoux et le repousse. C'est donc là que gît le mystère ! L'esprit enfiévré, Youri espère qu'un jour Sonia lui apprendra ce qu'il doit faire pour la conquérir totalement. Mais le sait-elle elle-même ? Cette excitation sans issue les occupe tellement l'un et l'autre qu'ils vivent sous une cloche de verre, insensibles au mouvement du monde, sourds aux propos de Dounia-cha et des parents. Leur affaire, ce n'est pas la guerre civile, l'argent, les soubresauts politiques, le ravitaillement difficile, mais les minutes de tendresse folle et d'attouchements maladroits qui les attendent dès qu'ils se retrouvent, tête à tête, dans la chambre.

Pourtant un soir, au dîner, comme papa évoque la situation de plus en plus critique des troupes blanches qui défendent le sud du pays, Youri dresse l'oreille. Selon des rumeurs persistantes, le général d'Anselme, mal conseillé, refuserait de livrer aux volontaires du général Dénikine les stocks d'armes et de munitions dont il dispose. Il paraîtrait même qu'à Paris le gouvernement, inquiet des mutineries de sa flotte en mer Noire, songe à ordonner le départ des régiments français récemment débarqués à Odessa. S'il en est ainsi, les bolcheviks s'empareront bientôt de la ville et, selon leur habitude, massacreront tous ceux qui, de près ou de loin, ressemblent à des bourgeois. Or, la ville est bondée de réfugiés qui ont fui la terreur rouge. Pris au piège, le dos à la mer, ils ne voient déjà plus de salut que dans l'embarquement sur les derniers bateaux en partance.

— Je crois que nous devrions en faire autant ! dit papa.

— Mais pour aller où ? demande maman.

— A Constantinople pour commencer. Puis, peut-être, en France...

Youri a un frémissement de joie : l'aventure

continue. Chaque changement de décor est pour lui une aubaine. Constantinople, la France, n'est-ce pas une nouvelle promesse de bonheur auprès de Sonia ? Il sait peu de chose de la France. Elle a de bons soldats puisqu'elle a gagné la guerre. Sa capitale est Paris. Papa dit que c'est le pays de Napoléon, de la tour Eiffel et du champagne. On va bien s'amuser, là-bas ! Autour de Youri, la gargote est une caverne éclairée à la chandelle où bougent de longues ombres et qui dégage une forte odeur d'ail et de poisson. Les convives, assis coude à coude, parlent en mangeant avec voracité. Sans doute, dans tous les coins, discute-t-on de la même chose : comment sauver sa peau ? Le patron passe entre les tables et grogne :

— Ça va mal, frérots ! Aïe, comme ça va mal !

Maman baisse la tête sous son grand chapeau à plume.

— Quitter la Russie, est-ce possible ? murmure-t-elle.

— Très provisoirement, mon âme, dit papa. Nous reviendrons, dès que les choses se seront arrangées...

— Et si elles ne s'arrangent pas ?

— Jamais les Alliés ne permettront que l'anarchie s'installe dans un pays qui a versé son sang pour eux pendant la guerre ! J'estime qu'il faut, dès à présent, nous préparer à partir... Partout, ce n'est qu'un cri : « Les Français s'en vont ! Les Français s'en vont ! » Les gens assiègent les bureaux militaires français et ceux des compagnies de navigation...

— Qui fera les démarches ? demande maman.

— Mais... moi, réplique papa.

— Je préfère que ce soit Douniacha, dit maman. Elle a l'habitude. Sans elle, je ne sais pas où nous serions aujourd'hui !

Douniacha courbe l'échine sous le poids du compliment. Papa semble d'abord vexé, puis il éclate de rire :

— Il est vrai qu'une jolie femme a plus de chances que moi d'amadouer les Français, même si elle ne sait pas parler leur langue !

— Je vais essayer, dit Douniacha, modeste.

— Je t'accompagnerai, si tu veux, propose papa.

— Non, non, je préfère me débrouiller seule...

Papa n'insiste pas. Youri l'a toujours connu léger, gai, fuyant les responsabilités et épanoui sous sa bonne étoile. Même à Koussinovo, il se déchargeait sur les autres du soin de régler ses affaires. Là-bas, il avait le régisseur Pistounov pour s'occuper de tout ce qui le dérangeait ou l'ennuyait ; ici, il a Douniacha. C'est normal ! Youri hasarde un regard vers Sonia. Elle aussi paraît très excitée à l'idée du prochain voyage. Comme lui, elle sait que leur patrie sera partout où ils s'aimeront.

— Sur quel bateau embarquerons-nous ? demande Youri.

— Nous n'en sommes pas encore là ! répond papa. Il y a peu de navires en rade et beaucoup d'amateurs. Il faudra, comme on dit, graisser quelques pattes, par-ci par-là !

— Faites-moi confiance, déclare Douniacha en souriant. Je ne me trompe jamais d'adresse quand je distribue des pots-de-vin !

Elle est si sûre d'elle que Youri se voit déjà installé dans la cabine d'un paquebot de luxe et regardant avec Sonia, par un hublot, la terre qui s'éloigne.

— Ce sera merveilleux ! s'écrie-t-il. Dépêche-toi, Douniacha ! En tout cas, c'est une chance que maman nous ait appris le français !

Maman repousse son assiette, où gisent des restes de poisson. Elle n'a presque rien mangé. Son menton tremble. Elle pleure.

XII

Les Français sont partis après avoir vendu à la sauvette quelques vivres qu'ils tenaient en réserve et pris à bord plusieurs centaines de volontaires blancs. Depuis la disparition des croiseurs et des transports de troupes, la population vit dans la crainte d'une brusque invasion d'Odessa par les bolcheviks. L'électricité est coupée. Le canon tonne, tout proche. Des explosions secouent, de temps en temps, la ville paralysée, où les ordures s'entassent sur les trottoirs. Une foule éplorée se presse sur les quais dans l'espoir d'un embarquement providentiel sur un dernier navire-hôpital, ou sur un paquebot grec, ou sur un cargo russe à bout de souffle. Maman est couchée et dit qu'elle préférerait la mort immédiate aux tortures de l'attente.

Chaque jour, elle interroge Douniacha : aura-t-on bientôt les visas et les billets pour partir ?

— Ne vous inquiétez de rien, barynia ! répond Douniacha. L'affaire est en bonne voie...

Quand elle est loin, papa soupire :

— J'aurais dû m'en occuper moi-même !

Mais il ne fait rien. Anéanti, il se contente d'aller chaque jour jusqu'au port avec l'illusion d'y découvrir, par miracle, une possibilité de passage pour la famille. Youri le plaint, parce qu'il a l'air très malheureux. Il se dit qu'à sa place il n'aurait pas mieux réussi à convaincre les autorités, qu'elles soient françaises ou russes, de la nécessité pour les Samoïlov de s'expatrier. Sa consolation est, comme toujours, l'amour de Sonia. Leurs enlacements, dans la chambre, sont de plus en plus exaltés, de plus en plus hardis. Hier, elle lui a effleuré le sexe d'un doigt aérien. Il en a éprouvé une décharge électrique dans le bas-ventre. Aujourd'hui, à peine se sont-ils dévêtus et allongés l'un contre l'autre qu'elle recommence. Il ferme les yeux sous le choc d'un plaisir aigu. Mais déjà elle retire sa main :

— Encore, Soniouchka, implore-t-il.

— Non, dit-elle. Maman a prévenu qu'elle rentrerait très tôt. Il faut nous rhabiller !

— Demain, alors...

— Oui, peut-être ! concède Sonia.

Et elle propose d'aller voir la mère de Youri, qui, seule dans la chambre voisine, doit dépérir d'angoisse et de chagrin. Quand ils frappent à la porte, une voix expirante leur répond :

— Entrez, les enfants !

Maman est assise dans l'unique fauteuil de la pièce, les mains sur les genoux, le regard noyé.

— Que faisiez-vous ? demande-t-elle.

— Nous jouions aux cartes, dit Sonia avec aplomb.

Et ce mensonge, si féminin, flatte la vanité de Youri. A croire que l'essentiel d'une réussite amoureuse tient à sa clandestinité.

— Je vous envie de pouvoir vous distraire en ces heures terribles ! murmure maman. Que n'ai-je, moi aussi, douze ans ! Je ne sais plus comment je vis, à quoi je sers, ce que nous allons devenir...

— Où est papa ? interroge Youri.

— Au port. Il essaie de s'y faire des relations utiles, comme il dit. Mais je n'y crois guère...

— Vous ne voulez pas me tirer les cartes en attendant ? suggère Sonia. J'ai une question à leur poser. Vous savez si bien dire la bonne aventure ! Encore mieux que ma mère !

Youri songe que cette « question » à laquelle Sonia fait allusion a sûrement trait à leur amour et son cœur bondit de désir. Maman accepte avec un sourire indulgent, bat les cartes et les étale sur la table. Pendant qu'elle essaie de lire l'avenir de Sonia à travers la combinaison des différentes figures du jeu, papa revient. Il est, comme d'habitude, à la fois accablé et optimiste. Les rares bateaux en partance sont bondés, mais il est persuadé que Douniacha a trouvé la solution. Il l'a rencontrée tout à l'heure, sur le quai, et elle lui a confirmé que tout serait réglé ce soir.

Douniacha arrive sur ces entrefaites, l'air énigmatique et souverain.

— Alors ? demande maman. Où en es-tu ?

Pour toute réponse, Douniacha dépose une grosse enveloppe sur la table. Maman s'étonne :

— Qu'est-ce que c'est ?

— Vos passeports visés, vos sauf-conduits en règle, vos trois billets pour un paquebot qui appareillera demain.

— Comment, trois billets ? s'écrie maman. Mais nous sommes cinq !

— Je n'ai pas l'intention de vous suivre, annonce Douniacha d'une voix moelleuse.

— Mais... il était convenu...

— J'ai changé d'avis, barynia.

— Tu vas rester ici ?

— Oui, avec ma fille.

A ces mots, le cœur de Youri se décroche et tombe en chute libre.

— Mais... mais ce n'est pas possible, balbutie maman.

— Eh si ! barynia, susurre Douniacha. Il faut me comprendre : que ferions-nous en France, Sonia et moi ? Notre pays, c'est la Russie...

— Le nôtre aussi, Douniacha, mais pas avec les bolcheviks !

Sans se départir de son calme, Douniacha répond :

— Les bolcheviks ne m'effraient pas...

— Malgré ce qu'ils nous ont fait ? proteste maman.

— Moi, ils ne m'ont rien fait. Et, après tout, ce sont des compatriotes, des gens comme moi, des travailleurs...

Toujours ce ton amène et ce sourire sucré.

— Tu ne parlais pas ainsi, il y a quelque temps ! dit papa. On a dû te conseiller, te monter la tête...

— Oh ! non ! Alexandre Borissovitch. J'ai l'habitude de prendre mes résolutions toute seule.

Youri est atterré. Il cherche le regard de Sonia. Elle baisse le front, comme si cette discussion passait au-dessus d'elle sans l'atteindre. Nulle surprise, nulle révolte. Douniacha l'a-t-elle prévenue de sa décision ? Se peut-il qu'elle n'en éprouve aucune peine ? Sont-elles de mèche toutes les deux ?

— Eh bien, dit maman avec tristesse, fais à ta guise ! Nous te regretterons.

— Moi aussi, je vous regretterai, Marie Vassilievna, soupire Douniacha. Vous avez été si bonne pour moi ! Mais le pays me retient...

— Le pays ou un homme ? demande papa avec brusquerie.

— Les deux, répond Douniacha en souriant.

— Qui est-ce ?

— Ça ne regarde que moi !

— Javoronkov, je parie ! Il t'a embobinée !

— C'est plutôt moi qui l'ai embobiné ! réplique Douniacha en dressant fièrement le menton.

— Mais c'est... c'est un bolchevik !

— Oh ! vous savez, la politique, quand le cœur parle...

— Tu vas l'épouser ? interroge maman.

— Ça se pourrait... Nous avons le temps d'y penser...

Les yeux de maman s'éteignent derrière un voile de larmes.

— Je souhaite que tu sois heureuse dans ta nouvelle vie, dit-elle.

Tandis qu'elle parle, papa s'approche du lavabo, dévisse le support de la glace et la fait pivoter d'un quart de tour. La cachette est vide. Plus d'argent, plus de bijoux. Maman joint les mains à hauteur de sa poitrine dans un geste d'imploration. Papa, très pâle, se tourne vers Douniacha et demande :

— Qu'est-ce que ça signifie ? Tu as tout pris ?

Douniacha n'a pas cillé.

— J'en ai eu besoin pour acheter les billets, pour payer les intermédiaires, explique-t-elle tranquillement.

— Et pour te payer toi-même ! gronde papa dont le regard étincelle de fureur.

— Où est le crime ? Je vous ai rendu service. Il est normal que j'en sois récompensée !

Youri a l'impression que, tout à coup, Douniacha ressemble à l'affreuse Zoé Ivanovna, l'institutrice, dans ses moments d'arrogance.

— Comment as-tu pu... ? gémit maman. Nous avions tellement confiance en toi !

— Tu n'es qu'une voleuse ! renchérit papa en serrant les poings.

— Vous retardez, Alexandre Borissovitch, murmure Douniacha avec une moue ironique. A notre époque, il n'y a plus de voleurs, plus de voleuses. Simplement ceux qui n'avaient rien prennent la place de ceux qui avaient tout !

Maman insiste, désespérée :

— Après ce que nous avons fait pour toi, pour ta fille !...

— Et moi, je n'ai rien fait pour vous, peut-être ? C'est grâce à moi que vous êtes ici ! C'est grâce à moi que vous allez pouvoir partir ! Croyez-moi, barynia, nous sommes quittes !

Elle parle sans hésiter, sans changer de visage. Pas un mot plus haut que l'autre. Et Sonia qui regarde obstinément le plancher entre ses pieds ! Papa remet la glace d'aplomb et menace avec une détermination effrayante :

— Je vais te dénoncer !

Il a un masque de pierre que Youri ne lui a jamais vu. Serait-il, malgré sa mollesse habituelle, capable d'un sursaut de violence ?

— Vous n'avez pas peur que ce soit plutôt moi qui vous dénonce ? rétorque Douniacha. Les bolcheviks sont aux portes d'Odessa. D'une heure à l'autre, ils vont entrer dans la ville. Un mot de Javoronkov et ils vous coffreront. Votre seule chance est de déguerpir demain, avec les billets que nous avons obtenus pour vous. Et alors, vous pourrez encore nous dire merci !

Elle toise papa d'un regard de froid mépris et, accentuant son sourire, se dirige vers la porte.

— Où vas-tu ? crie papa.

— Faire mes valises. Dans dix minutes, vous ne me reverrez plus. « Mes gouttes, Douniacha ! » « Douniacha, mon châle ! » « Gratte-moi le dos, Douniacha ! » C'est fini, tout ça !... Il faudra apprendre à vous passer de moi, en France ! Bonne chance quand même, estimé Alexandre Borissovitch, très chère Marie Vassilievna !

L'insolence de Douniacha glace le sang de Youri. Le monde a soudain basculé, sens dessus dessous. Comme le wagon de première classe lors du déraillement. Des bagages tombent sur sa tête. Dans un silence de mort, Sonia emboîte le pas à sa mère. Peut-être n'a-t-elle aucun chagrin de le quitter ? Peut-être s'est-elle simplement amusée de lui ? Il faut qu'il en ait le cœur net. Déjà, il s'élance pour la suivre. Il va lui demander des explications, supplier Douniacha de réfléchir encore...

La voix de papa le cloue sur place :

— Reste ici ! Je te défends...

Arrêté dans son élan, Youri se laisse tomber sur une chaise. Papa et maman sont comme pétrifiés. Regard éteint, bouche muette, ils enterrent leurs illusions. Au bout d'un long moment, la porte de la chambre voisine se referme en claquant. Des pas pressés résonnent dans le corridor : elles sont parties.

Youri se précipite à la fenêtre. Il aperçoit Sonia et Douniacha qui sortent du garni. Un homme les attend sur le trottoir. Il porte un manteau à col de velours noir et une casquette à carreaux. Youri le reconnaît pour l'avoir vu sur le quai de la gare de Kharkov. Lui ou un autre, qu'est-ce que cela change ?

Le front à la vitre, Youri accompagne des yeux le trio qui s'éloigne, Javoronkov portant les valises, Sonia donnant la main à sa mère. Il espère que Sonia va se retourner, lui lancer un dernier regard. Mais non, elle marche droit devant elle, sans le plus petit regret, sans le moindre souvenir. Youri revient s'asseoir et marmonne :

— Il y avait un homme, en bas. Javoronkov.

— Je m'en doutais, dit papa avec un sourire désabusé. Nous nous sommes conduits comme des enfants... Nous aurions dû nous méfier... Quand ce genre de femme tombe sous l'influence d'une canaille, le pire peut arriver !

— Qu'allons-nous devenir ? gémit maman.

— J'ai encore un peu d'argent sur moi...

— Combien ?

— Assez pour aller jusqu'à Constantinople, et peut-être même jusqu'à Paris. Après...

— Après ?

— Après, ma chère, à la grâce de Dieu !...

Youri retourne dans sa chambre. Tous les

vêtements féminins ont disparu. Place nette. Douniacha et Sonia n'ont jamais existé. Cependant, sur un rayon de l'armoire, gît un petit livre à couverture grise : le manuel d'arithmétique. Sonia n'a pas emporté son cadeau.

XIII

Douniacha a bien fait les choses. Le paquebot est propre, la cabine confortable, avec deux couchettes en vis-à-vis pour les parents et, dans l'espace libre entre elles, juste sous le hublot, un matelas sur le plancher pour Youri. Malgré cette apparence de luxe, de calme et de solidité, les passagers sont nerveux. Ils trouvent que le capitaine tarde à appareiller, alors que la canonnade se rapproche d'heure en heure. Ne vont-ils pas être coiffés, au dernier moment, par les hordes rouges ? On dit qu'il y a, dans les rangs communistes, de nombreux Mongols d'une incroyable férocité. Des spécialistes de la torture.

Le navire est bondé de réfugiés jusqu'aux rambardes : familles désemparées fuyant les bolcheviks, officiers blancs vaincus, aux visages tragiques, soldats blessés, traînant la patte. Ces gens ont tout perdu dans l'aventure révolutionnaire : qui leur argent, qui leur honneur, qui leur patrie. Des éclopés, des survivants, des laissés-pour-compte. Ils sont entassés là comme les animaux dans l'arche de Noé dont parlait si bien le père Trophime, à Koussinovo. Mais Youri ne peut les plaindre. Il ne peut d'ailleurs plaindre personne, sauf lui. Même le désespoir silencieux de ses parents ne le touche pas. Ils se sont retrouvés sains et saufs l'un et l'autre : que veulent-ils de mieux ? Lui, il n'a désormais aucune raison de vivre puisque Sonia n'est plus à ses côtés. Le décor singulier du bateau le laisse indifférent. C'est la première fois qu'il va prendre la mer et il regarde, sans marquer le moindre intérêt, les cloisons aux rivets apparents, les bouées de sauvetage, les escaliers raides, les coursives étroites et sonores. L'odeur de peinture fraîche, d'huile chaude et de saumure qui règne en ce lieu lui soulève le cœur. Soudain, une idée folle l'étourdit : et s'il s'agissait d'une plaisanterie, d'une niche que lui auraient faite Douniacha et Sonia ? Si elles surgissaient devant lui, riant et criant : « Comment as-tu pu croire que nous vous abandonnerions ? » Un instant, il se berce de cette illusion, puis il en reconnaît mélancoliquement l'absurdité et monte sur le pont, laissant ses

216

parents finir de s'installer en bas, dans leur cabine.

Une grande agitation règne parmi les marins. La cheminée crache de la fumée noire. Les cordages qui reliaient le navire au port sont largués, au milieu de commandements gutturaux. La sirène mugit. Une brochette de voyageurs s'accoude au bastingage pour assister au départ. Youri s'en moque : ici ou ailleurs, il ne sera jamais plus chez lui. Tandis qu'il erre entre les groupes de fuyards, un garçon d'une dizaine d'années l'aborde, l'air décidé, et lui propose de s'amuser, avec quelques camarades, à la bataille entre rouges et blancs.

Youri se rappelle combien il a aimé ce jeu dans le camp de quarantaine, quand il était le général Dénikine et Sonia une infirmière. Mais, à l'idée d'y participer maintenant sans elle, il défaille de chagrin.

— Vous verrez, insiste le gamin, ça sera chouette !... On a trouvé un coin tout à fait bien, à l'avant du bateau... On est déjà quatorze. Venez !

Youri secoue la tête et murmure :

— Non, merci... Pas maintenant... Pas ici... Ce serait..., ce ne serait pas du tout civilisé...

Les derniers mots lui restent dans la gorge.

Un flot de larmes gonfle ses paupières, son nez, sa bouche. Il s'enfuit en répétant :

— Non, merci !

Dix pas plus loin, il se heurte, sanglotant et hoquetant, contre les jambes de ses parents qui viennent, eux aussi, contempler une dernière fois la côte qui s'éloigne.

— Mais qu'as-tu, mon chéri ? s'exclame maman. Tu pleures ?

— Non, non, bredouille Youri dans un reniflement misérable.

— Tu es triste de quitter la Russie ? demande papa.

Youri a envie de crier qu'il n'a que faire de la Russie, que sa douleur ne porte pas le nom d'un pays, mais celui d'une fille. Qui le comprendrait, qui le croirait ? Il se contente de marmonner, comme ses parents le souhaitent :

— C'est ça, oui, je suis triste de partir...

— Ne te désole pas, Yourotchka, dit papa. Tôt ou tard, nous reviendrons chez nous !

Maman attire son fils tendrement et l'installe entre elle et papa, contre le bastingage. Le vent du large fouette la figure de Youri. Il sent le pont qui vibre sous ses pieds. Devant ses yeux défilent, dans un bruit d'eau fendue, la jetée, des entrepôts, des cheminées d'usine, tout un univers qui signifie peut-être quelque chose pour les autres, mais qui, pour lui, ne représente plus rien. Des mouettes voraces crient en rasant la crête des vagues. La sirène mugit à nouveau. Le paquebot accélère son allure en sortant du port. La mer est grise, houleuse, sous un ciel bleu éblouissant.

— Oh ! notre pauvre Russie ! gémit maman en esquissant un signe de croix.

Et, tournée vers papa, elle ajoute à voix basse :

— Cet enfant est comme moi : trop sensible... Il n'imagine pas qu'on puisse vivre heureux sur une terre étrangère !...

*Cet ouvrage a été composé
par l'Imprimerie BUSSIÈRE
et imprimé sur presse CAMERON
dans les ateliers de la S.E.P.C.
à Saint-Amand-Montrond (Cher)
en mars 1992*

Nº d'édition : 13660. Nº d'impression : 3717-2981.
Dépôt légal : avril 1992.

Imprimé en France